〝宇宙の（絶対的）法則〟に基づいて人格の完成を目指すことが世界に平和をもたらす

藤永克昭

東京図書出版

まえがき

私達は間違えている、私達人類はとても大きな間違いを犯している。私達の周りには偽預言者と偽キリストが溢れ、私達はそれらの人達に洗脳され、動かされている。

私達人類にとって最も大切なことは、人類が絶えず存続を続け、決して滅亡しないようにすることである。[1]そのために一番重要なことは、現に存在している者をより幸福にするための探求の努力をする、すなわち、世界に暮らすすべての人達が平和で幸福に、かつ自由に暮らしている社会、さらに世界の創造を目指して絶えず努力していくことである。そのための唯一にして最大の手段が、〝無限&無限のエネルギー〟の在り様を土台として構築されている〝宇宙の（絶対的）法則〟の存在を知り、理解し、さらに遵守して生きていくことである【ちなみに、〝宇宙の（絶対的）法則〟は、通常、〝宇宙の法則〟と呼ばれているが、私は、その絶対性と完全性（完璧さ）を強調するために、敢えて〝宇宙の（絶対的）法則〟と表記している】。

前に述べたことから理解されるように、本書の目的は、〝無限&無限のエネルギー〟および〝宇宙の（絶対的）法則〟を理解しようとすることを通して、各人が教育の目標である〝人格の完成〟を目指す、より正確には、真の〝人格の完成〟を目指し、そのことを通して世界に生きるすべての人達が平和で幸福に、かつ自由に暮らしている社会・世界を構築することにある。しかしながら、〝無限〟と〝宇宙の（絶対的）法則〟という言葉は知っていても、それらが、すなわち、〝無限＆無限のエネルギー〟とのより緊密な調和を目指すこと、および〝宇宙の（絶対的）法則〟の遵守が、世界に真の平和と繁栄をもたらす始まり（唯一にして最大の手段）であることを把握している人は、ほとんどいないであろうと私は考えている。

そこで、物質的な法則、精神的な法則、そして、〝無限＆無限のエネルギー〟に関する法則がある〝宇宙の（絶対的）法則〟についての、重要さを示す話題を二つ提供する。先ず一つ目が、「科学は、本来、人々を物質界に閉じ込めるのではなく、人々の精神的発達を助けるべきものである」ということである。それゆえに、精神的な知識を含まないただの物質的な知識・法則は、つまり、科学技術の水準に相応しい知性の発達を伴わない科学（知識）は、人類に害をもたらすようになる。たとえば、エジプトからインドに至るまでの領域を征服したアレキサンダー大王、人類史上最大級の領土を持つモンゴル帝国の初代皇帝チンギス・ハンや、ヨーロッパ制圧を成し遂げたナポレオン・ボナパルトなどの歴史的事実が教えるように、〝暴力（武力）は問題の解決にならない。したがって、自らが自分たちの暴力を解決できない時は、とても重大な事態を引き起こす〟。このことの真の意味が正確に把握できる人は、現在私達人類が置かれているとても危機的な状況を、明確に理解できるはずである。しかしながら、現在の重大な危機的な状況を我が事として真剣に捉えている人は、どれほどいるであろうか。

次は、「第二次世界大戦はいつ始まったのか？」という問いに関しての話題である。一般的には、ドイツ国（ドイツ）がポーランドに侵攻し、それに対して大英帝国とフランス共和国がドイツに宣戦布告した1939年9月をもって、第二次世界大戦が始まったとされている。ここで、とても重要な〝宇宙の（絶対的）法則〟を二つ紹介する。先ず一つ目が、〝報復と懲罰は異なる［復讐心と憎しみによって、世の中を良くすることはできない。その邪心が判断力を曇らせ、決断を下すにも計画するにも不適格な状態になってしまう(2)］〟、そしてもう一つが、〝憎しみは憎しみを生み、愛は愛をもたらす〟である。それゆえに、〝宇宙の（絶対的）法則〟という観点に立てば、第一次世界大戦（1914〜1918年）直後のベルサイユ条約（1919年）において、戦勝国が敗戦国ドイツに対して、懲罰ではなく報復の形を取った（過大の賠償金などを科した）ことが、第二次世界大戦の始まりであるとの捉え方ができる。事実、そのことを指摘した知性の高い宰相もいたが、ほとんどの人達はその意味するところを理解できなかった。そのために、20年後に私達の誰もが理解できる実際の形となって現れた。とても残念なことに、ほとんどの人達が理解できる形で、つまり〝宇宙の（絶対的）法則〟、特に〝原因と結果の法則〟に基づいて物事が具現化した場合には、それが良いことであれ、悪いことであれ、その流れを簡単に止めることはできないであろう。

以上の二つの話題を通して私が考えてもらいたいことは、すべての物事において求めなければならない最も大切なことの一つが、起こった物事を解決する力ではなく、先を見通し良くないことが起こらないようにする力であるということ、すなわち、とても優れた知性の重要さである。それが〝宇宙の（絶対的）法則〟の基本である。したがって、〝宇宙の（絶対的）法則〟を遵守すれば、個人であろうと、集団であろうと、国家であろうと、さらに世界であろうと、争い事が無くなり、すべての人が自由で幸福に暮らすことができるようになる。そこに必要なのは、知識を入り口とする経験（苦難・困難）によって培われる知性、叡智である。それを得ることは楽ではないが、少しでも得られればそれ以上の幸福と満足がある。そのために一人でも多くの人が、〝無限&無限のエネルギー〟、さらには、〝宇宙の（絶対的）法則〟に興味を持ち、その偉大な力（役割と機能）と素晴らしさに気付くことが望まれる。

　そして、そのことのとても重要な契機は、アルベルト・アインシュタイン[3]の有名な言葉「科学の研究に情熱を傾けた者なら誰でも、宇宙の法則の中に〝スピリット〟の存在を確信するようになる――人間のスピリットよりはるかに高い次元にある〝スピリット〟である」にあると、私は考えている。すなわち、〝無限&無限のエネルギー〟および〝宇宙の（絶対的）法則〟の理解も全く同じであり、〝無限&無限のエネルギー〟と〝宇宙の（絶対的）法則〟が理解できるか否かは、とても高度の知識を豊富に有する非常に知性の優れたスピリット（知性の非常に優れたスピリット）からの援助が授けられるかどうかにかかっている。すべては、知性の非常に優れたスピリットからの信頼が得られるか、如何である。その信頼のために気が付かなければならない重大事項の一つが、〝私達の人生において、さらに、人類の発展において最も大切なものは知性と科学の両方であり、科学のみではない。しかも、その科学（知識）も、私達が現在捉えている物質界に限られたものではなく、精神を（覚醒・）発達させるものを基本としなければならない〟である。さらに、「〝私（達）には私（達）なりの考え方がある〟、実際にはこんなことは今の私（達）の知識と知性のレベルでは有り得ない。だが、今の私（達）に必要なのは、〝無限&無限のエネルギー〟の在り様を常に意識し、さらに、それを土台として構築されている〝宇宙の（絶対的）法則〟を理解し、実践することである」という一途な向上心も求められる。しかしながら残念なことに、〝無限&無限のエネルギー〟および〝宇宙の（絶対的）法則〟を理解することは決して簡単なことではない。そこで、本書では、〝無限&無限のエネルギー〟と〝宇宙の（絶対的）法則〟について、今からゆっくり説明していく。

〝宇宙の（絶対的）法則〟に基づいて
人格の完成を目指すことが世界に平和をもたらす

◇目次

はじめに

私達が暮らし理解している世界である地球や宇宙、および私達の理解や想像を超えた世界のある地球、宇宙や〝無限〟は、完璧につくられた秩序、すなわち、絶対的法則の上に成り立っている。[4,5] そして、その〝宇宙の（絶対的）法則〟はとても数多く存在し、しかも細部に至るまで完璧につくり上げられているとシルバー・バーチ[6]は教えている。しかしながら、そのことを、私を含むほとんどすべての人達が認識できないでいる。なぜなら、〝無限〟の在り様を土台としてつくられている〝宇宙の（絶対的）法則〟は、〝無限〟およびその属性を理解し、意識し、さらに〝無限〟と調和することを志さない限り、理解できないようにつくられているからである。[4,7] そのために、私（達）の周りには、〝宇宙の（絶対的）法則〟に反する思いや言動がとても多く認められる。それにもかかわらず、多くの人が現状を改善しようと懸命に努力している。

しかしながら、〝宇宙の（絶対的）法則〟を知らないために、現在の社会、さらに世界の状況は、規則を知らない者が、乱雑に配置された状態のルービックキューブを、元の整然と配列された状態に戻そうと悪戦苦闘している様に似ている。規則を知っている者は乱雑な状態のルービックキューブを決まりに則って動かし、元の整然と配列された状態に戻すことができるが、一方、規則を知らない者が最初の整然とした状態に戻すことはとても困難であり、まず不可能に近い。同様に、混迷の度が極限に達しているとも思える出来事で溢れた現在の社会および世界を、整然とした状態、すなわち、すべての人が平和で幸福に、かつ自由に暮らしている社会、さらに世界につくり変えていくためには、最も適切な考え方、つまり、〝無限&無限のエネルギー〟の在り様と完全に調和している考え方とそれを遵守する最も適切なルールである〝宇宙の（絶対的）法則〟が必要である。そして、そのことを認識する最も重大な契機が、〝私達の人生において、さらに、人類の発展において最も大切なものは知性と科学の両立であり、科学のみでは無理である。また、知性と科学とは、知識という入り口は同じでも、培い方が異なる。さらに、その科学（知識）も、私達が現在捉えている物質界に限られたものではなく、精神を（覚醒・）発達させるための知識を基本としなければならない〟ということに気が付くことである。

ところで、『新約聖書』における「マタイによる福音書」の〝第24章3－16、21－25、27、29、&31－36節〟には、〝最後の審判〟の時にどのようなことが起こるのかの預言が、イエスを通じて弟子たちに伝えられたとある：【イエスがオリーブ山で座っておられると、弟子たちが、ひそかに御許に来て言った。「お話し下さい。いつ、そのようなことが起こるのでしょう。あなたの来られる時や世の終わりには、どんな前兆があるのでしょう」。そこで、イエスは彼等に答えて言われた。「人に惑わされないように気をつけなさい。私の名を名乗る者が大勢現れ、『私こそキリストだ』と言って、多くの人を惑わすでしょう。また、戦争のことや、戦争の噂を聞くでしょうが、気をつけて、慌てないようにしなさい。これらは必ず起こることです。しかし、終わりが来たのではありません。民族は民族に、国は国に敵対して立ち上がり、方々に飢饉と地震が起こります。しかし、そのようなことは皆、産みの苦しみの初めなのです。その時、人々は、あなた方を苦しい目に会わせ、殺します。また、私の名のために、あなた方はすべての国の人々に憎まれます。また、その時は、人々が大勢つまずき、互いに裏切り、憎みあいます。また、にせ預言者が多く起こって、多くの人々を惑わします。不法がはびこるので、多くの人達の愛は冷たくなります。しかし、最後まで耐え忍ぶ者は救われます。この御国の福音は全世界に宣べ伝えられて、すべての国民に証しされ、それから、終わりの日が来ます。それゆえ、預言者ダニエルによって語られたあの『荒らす憎むべき者』が、聖なる所に立つのを見たならば、その時は、……山へ逃げなさい。……その時には、世の初めから、今に至るまで、未だかつてなかったような、またこれからもないような、ひどい苦難があるからです。もし、その日数が少なくされなかったら、一人として救われる者はないでしょう。しかし、選ばれた者のために、その日数は少なくされます。その時、『そら、キリストがここにいる』とか、『そこにいる』とか言う者があっても、信じてはいけません。偽キリスト、偽預言者たちが現れて、できれば選民をも惑わそうとして、大きな標や不思議なことをして見せます。さあ、私は、あなた方に前もって話しました。……人の子が来るのは、稲妻が東から出て、西に閃くように、ちょうどそのように来るのです。……だが、これらの日の苦難に続いてすぐに、太陽は暗くなり、月は光を放たず、星は天から落ち、天の万象は揺り動かされます。……人の子は、……御使いたちを遣わします。すると御使いたちは、天の果てから果てまで、四方からその選びの民を集めます。無花果の木から、譬えを学びなさい。枝が柔らかになって、葉が出てくると、夏の近いことが判ります。そのように、これらのことをすべて見たら、あなた方は、人の子が戸口まで近づいていると知りなさい。誠に、あなた方に告げます。これらのことが全部起こってしまうまでは、この時代は過ぎ去りません。この天地は滅び去ります。しかし、私の言葉は、決して滅びることがありません。ただし、その日、その時がいつであるかは、誰も知りません。天の御使いたちも子も知りません。ただ父だけが知っておられます」。】である。なぜこのような正確な預言が、２０００年も前にできたのであろうか。とても不思議に（信じられないと思う人が、おられるはずである［事実、そのために理に適った適切な預言（啓示）でも信じない人はとても多い］。決して簡単なことではないと思うが（勿論私には想像もできないが）、とても高度の知識を豊富に有する非常に知性の優れたスピリット（〝「マタイによる福音書」第24章3－16、21－25、27、29、＆31－36節〟の場合には、天におられるイエスの父）が、〝宇宙の（絶対的）法則〟に基づいて予測したもの（あるいは、予測されたもの）をイエスに教えたものであることは私にも理解できる。

また、シルバー・バーチ[6]は、〝宇宙の（絶対的）法則〟を知らないことの怖さと伝道することの重要性、さらにそのことがもたらす結果の重大性を次のように教えている：「地上人類に混乱と挫折と悲劇と破滅と流血が絶えないのは、自ら真理に対して目を閉じたがる者が多く、また既得の特権を死守せんとする者が多いからです。すべての戦争は、人間が摂理に背いた生き方をすることから生じます。一個の人間、一つの団体、一つの国家が誤った思想から、貪欲から、あるいは権勢欲から、支配欲から、神の摂理を無視した行為に出ることから生じるのです。直接の原因が何であれ、すべては宇宙の霊的法則についての無知に帰着します。すべてのものが霊的知識を備えた世界に、独裁的支配はありません。すべての者が霊的知識を具えた世界に、流血はありません。（ですから、）霊的知識を広めることです。真実の意味での伝道者、すなわち、霊的真理および霊的知識の伝道者となることです」である。

しかしながら、〝無限＆無限のエネルギー〟および〝宇宙の（絶対的）法則〟を理解することは、インペレーター[4]が、「同じく真理にも、深遠な霊的真理と、人間の精神に受け入れられる範囲での真理とがあり、その間に大きな隔たりがあることが、人間には洞察できないことです。……忘れてならないことは、人間の精神は地上への誕生時の条件によって支配され、霊格が開かれるまでは、その受け入れる真理はごく限られていることです」と教えるように、決して簡単ではない。なぜなら、〝無限〟および〝宇宙の（絶対的）法則〟という知識を意識し、それらを理解しようとする契機は、最初のとても重要な理に適った〝人生の目的の実現〟過程における最終段階が近づくにつれて、科学と智慧・知性（霊性・精神性）が異なることに気付き、その相違を理解しようとすることに始まるからである。その一方で、私は、この本を

「〝宇宙の（絶対的）法則〟に基づいて人格の完成を目指すことが世界に平和をもたらす」と題して真の〝人格の完成〟を目指すことが、〝無限&無限のエネルギー〟、さらには、〝宇宙の（絶対的）法則〟を理解することに繋がり、そのことが、「世界に生きるすべての人達が平和で幸福に、かつ自由に暮らしている社会、さらに世界の構築をもたらす」ことを確信しているので、〝無限&無限のエネルギー〟と〝宇宙の（絶対的）法則〟に関する知識、すなわち、真理・真実を一人でも多くの人達に伝えることを熱望している。

なお、繰り返しになるが、〝無限&無限のエネルギー〟および〝宇宙の（絶対的）法則〟を理解するにあたっては、最初のとても重要な理に適った〝人生の目的を実現する〟ことが必須の要件となると、私は考えている。それゆえに、本書では、前に述べたことを前提として、〝無限&無限のエネルギー〟と〝宇宙の（絶対的）法則〟の説明を、Ⅰ　人生の目的の実現（自己の開花と実現）、Ⅱ　科学と知性、Ⅲ　本書の特徴、Ⅳ　完璧な人間、あるいは完成された人格のイメージ、Ⅴ　世間にごく普通に見られる間違った考え方、Ⅵ　無限（〝無限&無限のエネルギー〟とは何か？）、Ⅶ　宇宙の（絶対的）法則の順に進めていく。そして、最後に、オウム真理教を例として、彼等が起こした一連の事件を〝宇宙の（絶対的）法則〟、特に〝原因と結果の法則〟という観点より捉え、起こるべくして起こった出来事（事件）であることを示すとともに、今後あのような事件が起こらないようにするための、私達が為すべきことについても触れる。

I　人生の目的の実現（自己の開花と実現）

歴史上の偉人や賢人たちに共通してみられる重要な特徴の一つが、苦難・困難の克服を通して人生の目的を実現（自己を開花・実現）したことである。そこで本書では、1人生の目的を実現する（自己を開花・実現する）ことの重要性とその基本、2幾人かの歴史上の偉人たちにおける人生の略述、3歴史上の偉人たちの生き方を学ぶ際の留意事項の順に、〝人生の目的の実現（自己の開花と実現）〟について論ずる。ところで、最初のとても重要な理に適った人生の目的の実現後、対象となった社会・世界が拡大する形で克服された苦難・困難の数は人によって異なり、その回数が多いほど普遍的な愛へと繋がっていく傾向が認められる。それゆえに、本書では、人生における飛躍の在り方を、すなわち、苦難・困難の克服の在り方を大きく二つのタイプ、一つは苦難・困難とその克服の連続によって人生が普遍的な愛への道に繋がった二宮尊徳およびマリー・キュリーのような人生のタイプと、もう一つは苦難・困難の克服を通して成し遂げられた自己（適性・才能）の開花と実現という道を歩んだアルベルト・アインシュタイン、チャールズ・ダーウィン、およびグレゴール・メンデルの人生のようなタイプの二つに分けて、とても重要な理に適った人生の目的を実現する（自己を開花・実現する）

ことの重要性を論じる。

ただし、二つのタイプの〝人生の目的の実現（自己の開花と実現）の在り方〟の間に明瞭な区別があるわけではなく、私なりに歴史上の偉人たちの人生を〝無限&無限のエネルギー〟および〝宇宙の（絶対的）法則〟との関連で捉えやすくするために、二つのタイプに分けた。ちなみに、前者のタイプの人生を歩んだ他の偉人としては、マハトマ・ガンジー、アルベルト・シュバイツァーやマザー・テレサなどを挙げることができ、後者のタイプの偉人・賢人としては、イマヌエル・カント、ゲオルク・ヴィルヘルム・フリードリヒ・ヘーゲル、チャールズ・チャップリン、トーマス・エジソン、ライト兄弟などが考えられる。

1 人生の目的を実現する（自己を開花・実現する）ことの重要性とその基本

人生は苦難・困難との直面（遭遇ではない）およびその克服の連続であり、しかもその階段を一段上がるごとに苦難さと困難さはその度を増す。その人生において、最初の非常に大切な人生の目的を実現することはとても重要で、その重要性については、ロバート・フルフォード&ジーン・ストーン[8]、ジェームズ・アレン[7,9]、ディーパック・チョプラ[10]、インペレーター[4]、シルバー・バーチ[2,6,11]、原田真裕美[12]、窪田千紘[13]やマイトレーヤ・ラエル[1]などが述べているが、〝無限〟の理解や〝宇宙の（絶対的）法則〟との繋がりという観点から捉えた場合、以下の四つの言説がとても適切にその重要性を伝えているると考えられる：「魂のシナリオには、二つの側面があります。一つは、過去生のカルマゆえに、どうしても本人が向き合わなければいけない課題があること。そして、その課題を乗り越えて心の成長を遂げられたならば、この世における新たな人生のシナリオが書き加えられて幸せを手にすることができる――これが二つ目の側面です。……知っておいていただきたいのは、この世の不幸から脱して、幸せを手にしたいのなら、人生の困難な状況から逃げないことです。魂のシナリオにそって一所懸命に生ききることが、あなたの人生をより豊かなものにし、あなたらしさを輝かせるとともに、ひいてはそれが魂の成長につながります[14]」、「同じく真理にも、深遠な霊的真理と、人間の精神に受け入れられる範囲での真理とがあり、その間に大きな隔たりがあることが、人間には洞察できないことです。……忘れてならないことは、人間の精神は地上への誕生時の条件によって支配され、霊格が開かれるまでは、その受け入れる真理はごく限られていることです[4]」、「人生とは、自己の内部の完全性を不完全な環境の中で表現しようと求める試練の場、あるいは一種の闘争の場です。そして、その人生の目的は、自己の霊的開発（自己鍛錬、自己制御、自己開発）を成就することです。……ところで、私達は地上へ誕生してくる時、魂そのものは地上でどのような人生を辿るかを予め承知しております（ただし、〝魂は知っている〟というのは、細かい出来事の一つ一つまで知り尽くしているという意味ではなく、どういうコースを辿るかを理解しているということです）。潜在的大我の発達にとって必要な資質を身に付ける上で、そのコースが一番効果的であることを得心して、その大我の自由意志によって選択するのです。その意味で、あなたは自分がどんな人生を生きるかを承知の上で、生まれて来ているのです。その人生を生き抜き困難を克服することが、内在する資質を開発し、真の自我、すなわち、より大きな自分に、新たな神性を付加していくのです[11]」、および「人は、個人の開花というものを考慮しなければなりません。それなしには、精神はその潜在的能力を十分に発揮することはできませんし、また無限と調和して、新しい人間になることもできないからです[1]」である。

以上のような特質を有する最初のとても重要な理に適った〝人生の目的の実現〟における基本を整理すると、

①すべての人が、その人独自の人生の目的を持って生まれてくる[10,15]

②人生の目的は、適性・才能を開花し、自己を実現させることを宗として日々努力することで徐々に見えてくる[15]

③人生の目的を明らかにする責任は本人に委ねられており、その目的に気が付かなければ、精神性の向上の扉が開かれない[8,10]、すなわち、（人生の目的を実現する上で）大切なことをしている時、精神性が高くなる[12,15]

④すべての人に自己を開花し実現する機会が与えられており[16]、すべての人の人生の目的が実現可能である[15]。ただし、知識・理性・信念に基づいて生き、かつ自己を開花し実現を

するという強い意志を持って、一生懸命努力しなければならない[15]

⑤人生の目的を実現すれば、すべての人が人類全体の未来に貢献できるようにつくられている[13,15]［人は自己の開花・実現なしには、精神はその潜在的能力を十分に発揮することはできないばかりでなく、〝無限〟と調和して新しい人間になることもできない[1]］

⑥人生の目的（自己の開花・実現）は、苦難・困難を通して実現される[6,7]［もし成功を願うならばそれ相当の自己犠牲を払わなければならず、大きな成功を願うならば大きな自己犠牲を、この上なく大きな成功を願うならば、この上なく大きな自己犠牲を払わなければならない[7]］

⑦苦難・困難の上に成り立っている人生の目的の実現（自己の開花と実現）に対しては、すべての人に選択の自由が与えられている[16]。ただし、すべての人の人生が、「原因と結果の法則（〝蒔かぬ種は生えない〟および〝蒔いた種は自分で刈り取らねばならない〟）」に従って創り上げられていく[6,16]

などとなる。

今述べたような特徴を有する〝人生の目的の実現（自己の開花と実現）〟であるが、そのような目的を持つ人生を生き抜いていくことの意義および苦難・困難がもたらす役割は、意義ある社会の一員として、いかなる事態においても、社会のため人類のために貢献し、普遍的な愛に生きる人間をつくり上げることである。[16]

2 幾人かの歴史上の偉人たちにおける人生の略述

この章の冒頭で述べたように、本書では、〝人生の目的の実現（自己の開花と実現）〟に伴って起こる飛躍の在り方を、⑴連続する苦難・困難の克服とそのことによって開かれる普遍的な愛への道（二宮尊徳およびマリー・キュリー）と、⑵苦難・困難の克服による適性の開花と自己実現（アルベルト・アインシュタイン、チャールズ・ダーウィン、およびグレゴール・メンデル）の二つに分けて進める。

⑴ 人生における飛躍の在り方：連続する苦難・困難の克服とそのことによって開かれる普遍的な愛への道

二宮尊徳およびマリー・キュリーの人生を、苦難・困難の克服による（最初のとても重要な理に適った）人生の目的の実現、およびさらなる苦難・困難の克服によって開かれた普遍的な愛への道という観点から理解すると、彼等の人生は以下のように略述することができる。

二宮尊徳[17]【通称金次郎、江戸時代末期の農政家。経世済民を目指して報徳思想を唱え、報徳

仕法と呼ばれる農村復興政策を指導した】

二宮尊徳は、１７８７年に相模国足柄上郡栢山村（現神奈川県小田原市）に中層の農民の子として生まれた。栢山村は酒匂川沿いの水田地帯で、稲作に適した土地である反面、たびたび大洪水に見舞われた。尊徳の少年時代にも酒匂川の大洪水があり、これが父に大きな打撃を与えた。その後父は病気になり、一家は田畑の大半を金に換えて医療費と生活費に充てることを余儀なくされた。さらに、尊徳は病父の代わりに酒匂川の土木工事に出たが、その際予め造っておいた草鞋を村人に勧め、年少の非力を補おうとした。尊徳が13歳の時父が病死したので、彼は母と弟二人を養うため朝早く起きて一里あまり離れた入会山より薪柴を取って小田原で売り、夜は遅くまで縄をない、草鞋を造って生活を支えた。

尊徳が15歳の時、母を失い、伯父万兵衛の家に引き取られた。弟たちも母の実家に引き取られ、残された田畑はこの年の大洪水で土砂に埋もれてしまった。伯父の農業を手伝いながら尊徳の心を占めた思いは、一家の再興の願いであった。その手段を学ぶために手習い本の復習から始めて、『大学』などの書物の独習に力を注いだ。伯父は百姓に学問は必要ないと、灯油を使っての夜の学習を尊徳に禁じた。彼は菜種の種を友人から借りて用水の堤に植え、また田植えの時に道端に捨てられた僅かばかりの苗を荒地に植えたりした。いずれも予期しなかった収穫をあげ、多少の灯油や一俵ほどの米を得ることができた。

尊徳は17歳の頃には伯父の許より独立し、村内の富農の家で労働に従事する傍ら、荒廃していた所持田畑の復興に努めた。彼はこの頃より〝日記万覚帳〟を付けており、すでに多少の米と金銭を他人に貸し付けている。尊徳は19歳の時に生家に戻り、荒廃していた田畑の再耕や多少の田畑の買い戻しを行って、ともかくも一家の再興を実現した。その後も彼は努力して得た米や金銭を他人に貸して元利を殖やし、田畑の買い戻しや新規購入を進めたので、4年後には尊徳の所持田畑は1町4反5畝余に達している。

25歳の時尊徳に転機が訪れ、彼は小田原藩の家老の家に中間奉公し、3年間嫡男の修学相手などを務めた。その後尊徳は家老の家の家政整理を依頼され、5年掛かって成果を上げ、これが尊徳の仕法実践の第一歩となった。33歳の時尊徳は、小田原藩主の藩政に領民の声を反映させようとの試みに応じ、年貢米領収用の枡の改良を提案し採用された。さらに、家政の困窮に苦しむ小田原藩士たちのために、連帯責任で融通し合う〝五常講〟を考案した。

この頃から尊徳の才能は藩主に注目されるようになり、翌年の34歳の時尊徳は分家の領地と家政の再建仕法を依頼されることになった。下野国芳賀郡にあった分家の知行地［陣屋は桜町］は田畑の荒廃と農家の離散が進行し、文政の頃には財政が破綻し、領地の再興に着手する術もない状態であった。尊徳は数回桜町に赴き土地と農民の状況を綿密に調査し、その荒廃の根本原因を明らかにした。そして、その結果に基づいて領主の財政を運営することを求めた。すなわち、尊徳の主張する〝分度〟を立て、それを守らせたのである。次に彼は栢山村の家財を処分し、家族を連れて桜町に移り住み、小田原藩より金穀の融資を受け、農村再興に専心した。10年後、尊徳が44歳の時に桜町領の第一期仕法は、ほぼ所期の目的を遂げて終了した。この間尊徳の復興仕法の評判は次第に高まり、下館藩士や常陸国真壁郡青木村の農民より指導を請われた。また、尊徳の仕法の実施地域は次第に拡大し、谷田部藩、茂木領、烏山藩領、小田原藩領、下館藩領などに及んだ。

その結果、尊徳の名声は幕府も注目するところとなり、折から天保の改革を推進していた老中水野忠邦に登用され、55歳の時御普請役格に任ぜられた。しかし、命じられたのは尊徳の期待する幕府の農政面での活躍ではなく、分水路や水堀の見分などの土木工事の計画であった。そこで、57歳の時に幕府から命じられた日光神領の荒地再興計画の作成を機に、尊徳は日光神領以外にも応用可能な農村再興仕法のひな型を作成することを決意し、約2年かけて多数の弟子たちの協力を得て完成させた。そして、尊徳の晩年の仕法は、このひな型に基づき相馬藩、真岡代官所領や日光神領で実施された。69歳の時に尊徳は日光神領の今市に移住し、報徳役所を設けて日光神領の仕法に専念するが、翌年の1856年に70歳にて没した。

マリー・キュリー(18～20)【Maria Skłodowska-Curie（フランス語名はMarie Curie）ポーランド立憲王国（現在のポーランド）出身の物理学者・化学者。放射線の研究で、1903年のノーベル物理学賞、1911年のノーベル化学賞を受賞し、パリ大学初の女性教授職に就任した】

1867年、ポーランド立憲王国のワルシャワに5人兄弟の末っ子として生まれたマリー・キュリーは、幼少の頃から聡明で、4歳の時には姉の本を朗読でき、記憶力も抜群であった。マリーが6歳の時、大学で数学と物理の教鞭を執った父が職と住居を失った。その後マリーは、母の病気、父の事業の失敗や姉の死亡、さらに母の他界など、度重なる不幸を経験した。そして、14歳の時に深刻なうつ状態に陥り、マリーは母に倣ったカトリックの信仰を捨て、不可知論の考えを持つようになった。

1883年、マリーはギムナジウムを優秀な成績で卒業した。しかし、当時女性には進学の道は開かれておらず、常に成績が一番のマリーの夢は、パリに留学することであった。その後マリーは家庭教師などを務めるとともに、祖国の独立を叫ぶ学生の革命団体〝ワルシャワ移動大学（自由大学）〟に密かに参加し学ぶ機会を得た。その頃留学実現のための方策を懸命に考えていたマリーは、同様にパリでの修学を熱望していた3歳上の姉に、「お姉さんが先にパリに行く。私はその間、ここに残って家庭教師をし、学費を送金します。お姉さんが医者になったら、今度は私の面倒をみて下さい」と提案し、6年にわたって家庭教師を続け姉の生活を支えた。

1890年に医師と婚約した姉からパリで一緒に住むように誘う手紙が届くが、それを断った24歳間近のマリーに、1891年決して幸福ではない形で転機が訪れ、自らフランス行きを決意した。10月、マリーはパリに移り住み、当時女性が科学教育を受講することが可能な数少ない機関の一つ、ソルボンヌ（パリ大学）で物理・化学・数学を学ぶ日々を始めた。マリーは、昼は学び、夕方はチューターを務める一日を送ったが、生活費にも事欠いて食事もろくに取らず、さらに暖房もなかったため寒い時には、持っている服すべてを着て寝る日々を過ごしながら、勉学に打ち込んだ。また、倒れて医師である義兄に面倒をみてもらうこともあったが、マリーは努力を重ねた。さらに、マリーは貯蓄が底を突き、一度は勉学を諦めたが、奨学金を申請し勉学を続けることができ、１８９３年に物理学の学士資格を取得した。

学士を獲得した後、それまでの貯えに頼る生活を変えて、マリーは受託研究を行い、わずかながらも収入を得るようになった。受託した鋼鉄の磁気的性質の研究を行う際、マリーが工業試験場の手狭さで困っていた頃、場所の提供を頼めそうな人物としてパリ市立工業物理化学高等専門大学の科学者ピエール・キュリーを紹介された。その後、科学や社会に対する価値観に多くの共通しているところを感じた二人は、互いに尊敬し信頼し合う間柄となり、１８９５年に結婚した。こうしてマリーは、人生の伴侶、そして頼もしい科学研究の同志を得た。

30歳の１８９７年、マリーは鉄鋼の磁化についての研究論文を仕上げ、夫と話し合い博士号取得という次の段階へ進む検討に入った。二人は、物理学者アンリ・ベクレルが報告した、ウラン塩化物が放射するX線に似た透過力を持つ光線に着目し、かつベクレルが謎のまま研究を放棄していたその光線の正体と原理を研究の目標に据えた。ピエールが確保した実験場は、倉庫兼機械室を流用した暖房さえ無い粗末なものであったが、そこに高精度の機器を持ち込み、ウラン化合物の周囲に生じる電離を計測した。すぐに、サンプルの放射現象が実際のウラン含有量に左右され、光や温度などの外的要因の影響を受けないという結果を得た。次にマリーは、この現象がウランのみの特性かどうかに疑問を持ち、既知の元素80以上を測定し、トリウムでも同様の放射があることを発見した。マリーの探求心は止まることを知らず、次に様々な鉱物サンプルの放射能評価を始めた。やがて、マリーは2種類のウラン鉱石（トルベルナイトとピッチブレンド）の電離がウラン単体よりもはるかに高いという測定結果を得、2種類のウラン鉱石にはウランよりもはるかに活発な放射を行う物質が少量ずつ含まれていると考察した。マリーは、できるだけ早急にこの仮説を確かめたいという熱烈な願望に駆られ、夫妻でピッチブレンドの分析に着手した。

1898年7月、キュリー夫妻は連名でポロニウムと名付けた新元素の発見に関する論文を発表し、さらに、12月には激しい放射線を発するラジウムと命名した新元素の存在について報告した。夫妻の発表に、物理学者は「新元素の放射線がどのような現象から生じるのか」が不明な状態では賛同しづらい、また化学者は「新元素ならばその原子量が明らかでなければならない」という理由で、学会の反応は冷淡であった。そこで、マリーは純粋な新元素の塊を得ることに挑む決意をした。そのために夫妻は、非常に高価なピッチブレンドを入手するための資金不足の解消、精製に必要な広い場所の確保、さらに、複雑な化学組成を持つ混合鉱物であるため分離精製が非常に難しいピッチブレンドから、ラジウム塩を分別結晶法によって取り出すために要求されるとても過酷な肉体労働など、非常な苦難・困難を克服し【最初夫妻は、新元素の量は廃鉱石の重量の１００分の１程度と予測していた。それが１００万分の１以下の間違いであると気づいた時、あまりの過酷な作業にピエールは「もう止めよう」と匙を投げかけた。しかし、徹底的に物事をやり通すタイプであるマリーは、「私達の正しさを証明するまで止めません」と答えた。劣悪な環境と過酷な作業、さらに、逼迫した家計を賄うための教職の多忙さゆえ、夫妻の健康状態にまで悪影響を及ぼし、ピエールは精製を一時中断すべきとも考えた。だが、マリーは少しずつ着々と進む作業に希望を見いだしていた】、夫妻は有意な純粋ラジウム塩を得た（夫妻が有意な純粋ラジウム塩を得るまでに、11トンものピッチブレンドを処理した）。この頃夫妻を度重なる不幸（マリーの父の死去、ピエールのリウマチの悪化・発作による苦しみや待望の第二子の流産など）が襲うが、夫妻は苦境の中で進められた研究結果を逐一学会に知らしめ、１８９９年から１９０４年にかけて32の研究発表を行った。その結果、それらは当時の概念に変革を迫り、原子物理学に一足飛びの進歩をもたらした。元々博士号取得を目的に始められた放射性物質の研究が１９０３年にまとめられ、論文審査（６月）を通ったマリーはパリ大学から理学博士を授かった。さらに、12月にはスウェーデン王立科学アカデミーが〝放射現象に対する共同研究において、特筆すべき類いまれな功績を上げたこと〟との理由で、ピエールとマリー、そしてアンリ・ベクレルの３人にノーベル物理学賞を授与する決定を下した。このようにしてマリーは、女性初のノーベル賞を授与された人物となった。

1906年4月、マリーが38歳の時、夫ピエールが荷馬車に轢かれ事故死した。マリーはその知らせに凍り付き、その後もマリーは沈黙に沈んだまま、時に悲鳴を上げるなど不安定な精神状態にあった。5月、ソルボンヌ（パリ大学）物理学部は、ピエールに用意した職位と実験室における諸権利をマリーのために維持することを決めた。やがてマリーは、〝重い遺産〟を受け継ぎピエールに相応しい研究所を作ることが自分のやるべきことと決断し、大学の職位と実験室の公認を受諾した。こうして、パリ大学初の女性教授が誕生した。研究に復帰したマリーが最初に取り組んだことは、ラジウムが元素ではなく化合物であるとする説の論破であった。1910年、マリーはこの研究を成し遂げて自らの正しさを立証するとともに、この間に研究所を発展させた。また、1907年にはそれまでの研究をまとめた『放射能概論』を出版した。44歳の1911年、スウェーデンからノーベル化学賞授与の電報が入り、マリーは初めての2度のノーベル賞受賞者となり、また異なる分野で授与された最初の人物ともなった。

しかし、受賞後マリーはうつ病と腎炎で入退院を繰り返すなどし、苦しい時期を過ごした。さらに、1914年には第一次世界大戦が勃発した。戦争は研究所のスタッフたちを兵士として招集したばかりでなく、ドイツ軍の空爆がパリにも及んだ。そのため、マリーは政府の要請で研究所が所有する貴重な純粋ラジウム金属を、ボルドーに疎開させるため汽車に乗ったが、この非常事態に自分が為すべきことを見いだし、すぐパリに戻った。ヴィルヘルム・レントゲンが発見したX線は、すでにX線撮影による医療への貢献が可能となっていたが、フランスにはそれを実施する設備が非常に少なかったため、マリーは手術における負傷者の生存率を上げるために、複数の病院にそれらを設置した。さらに、マリーはX線撮影設備を十分に持っていない軍のために、移動が可能になる自動車に設備と発電機を搭載して病院を回った。マリーが設置したレントゲン設備は、病院や大学など２００カ所に加え、自動車20台となった（マリー自身も、技術者指導の講義と並行して、このX線照射車1台に乗り込んで各地を回った。そのために自らも解剖学を勉強し、自動車の運転免許を取得し、故障時に対応するため自動車整備についても習得した）。

１９１８年第一次世界大戦が終結し、研究所が再開したが、設備も資料にも事欠く状態であった。そのような中、１９２０年にインタビューに応じたアメリカ合衆国の女性雑誌の編集長が、帰国後マリーにラジウムを贈呈するためのキャンペーンを行うとともに、マリーを大々的な形でアメリカ合衆国に招待した。大成功を収めたこの渡米でマリーは、自分の名声や影響力が想像以上に大きくなっていること、そして、もはや研究や実験に没頭することが許されないことを悟り、マリーはパリのラジウム研究所を立派な放射能研究の中心に育てようと決意した。研究所は性別・国籍を問わない多様なスタッフを抱え、マリーは彼等の指導に多くの時間を割き、彼等を導き、その実力を伸ばした（１９１９年から１９３４年の間に研究所から発表された論文は、４８３件になった）。１９３４年、気分が優れず研究所を早退したマリーはそのまま寝込むようになり、２カ月後66歳にて死去した。

人生の目的の実現（自己の開花と実現）における二人の共通点

以上述べてきたように、二宮尊徳とマリー・キュリーの人生は、苦難・困難とその克服の連続である。ところで、二宮尊徳とマリー・キュリーの人生における最初の苦難・困難は、人生の目的を実現し不動の信念を持つ人格者になるための試練の入り口に相当する幼少期に始まっている。[21] その幼少期における苦難・困難の克服と最初のとても重要な理に適った人生の目的の実現後、二宮尊徳の場合は対象となった社会が徐々に広がり、小田原藩の家老と藩士たちを経て、小田原藩の一地域から小田原藩領、そしてその近隣地域、さらに幕府（日本）へと拡大している。一方、マリー・キュリーの場合は、フランスにおける科学の発展から、人類に進歩をもたらす重要な柱の一つとしての科学への貢献、および女性の優秀さの明証と社会進出への寄与と、飛躍的に対象となった社会・世界が拡大している。

ここで最も重要なことは、二人とも最初のとても重要な理に適った人生の目的、すなわち二宮尊徳の場合は一家の再興、そしてマリー・キュリーの場合は科学者として世界に貢献する足掛かりとしてのパリ留学を実現した後に、さらに苦難・困難の度を増した試練とその克服を通して、対象となった社会・世界が拡大し続けていることである。

⑵ 人生における飛躍の在り方：苦難・困難の克服による適性の開花と自己実現

アルベルト・アインシュタイン、チャールズ・ダーウィン、およびグレゴール・メンデルの人生を、苦難・困難の克服による才能（適性）の開花と自己実現という観点から捉えると、以下のように略述される。

アルベルト・アインシュタイン(22〜24)【Albert Einstein　ドイツ生まれのユダヤ人理論物理学者。20世紀最大の物理学者とも、現代物理学の父とも呼ばれる。特に、アインシュタインの特殊相対性理論、一般相対性理論や相対性宇宙論は有名である】

１８７９年、南ドイツのウルム市に生まれたが、父の事業の失敗により翌年一家でミュンヘンに移住した。５歳頃まであまり言葉を話さなかったと伝えられているアインシュタインは、カトリック系の公立学校へ通うがその校風に馴染めなかった、さらに、卒業後に入学したギムナジウムでも軍国主義的で重苦しい校風に馴染めなかった。幼少の頃言葉を理解したり話したりするのがあまり得意でなく、頭の中で文章を組み立ててから喋っていたため受け答えに時間の掛かったアインシュタインは、現代では読字障害であったと言われることもある。一方、数学に関しては傑出した才能を示し、９歳の時にピタゴラスの定理の存在を知り、自力で定理を証明した。さらに、12歳の時にはユークリッド幾何学の本を貰い独習し、微分学と積分学もこの時期に独学で習得したと言われている。

１８９４年、父の事業が大資本の攻勢と技術革新の波に敗れ、一家はイタリアのミラノに引っ越した。しかし、ギムナジウムを卒業する必要からアインシュタインはミュンヘンに残される事になったが、軍国主義的な教育を嫌い、1895年春学校を中退して両親の許に行き半年間浪人生活をした。1895年秋、アインシュタインは、2歳不足ながら特別許可でスイスのチューリッヒにある連邦工科大学を受験するが失敗し、アーラウのギムナジウムに通うことを条件に翌年度の入学資格を得られることになった【この頃アインシュタインは兵役義務を逃れるためにドイツ国籍を放棄し、これにより、以後スイス国籍を取得するまでの5年間無国籍となった】。優れた言語学教師の家に寄宿して1年後の1896年10月、アインシュタインは、当時女性に門戸を開いていた数少ない大学の一つである自由な気風のチューリッヒ連邦工科大学への入学を許可された。アインシュタインは大学の講義にはあまり出席せず自分の興味ある分野にだけ熱中し（物理の実験では最低の〝1〟、電気技術では優秀な〝6〟の成績を取っている）、また、G・R・キルヒホフ、H・L・ヘルムホルツ、H・R・ヘルツなどの著作を独学し、友人に自分のアイデアを語っている。

1900年、アインシュタインは最終試験に合格しディプローマ（教師免状）を得たが、大学助手に採用された他のディプローマ合格者3人と異なり、大学の物理学部長との不仲が災いして大学の助手に採用されず浪人生活に入った。週8回の家庭教師をしつつチューリッヒ市民権を1901年に獲得し、とても多くの物理学者に就職依頼状を発送したが、いずれも失敗した。その後、工業高校代用教員、教育保育私学校臨時教員に数カ月ずつ就いてから、1902年大学時代からの友人の父の助力でスイス連邦特許局技術専門職三級試用の定職に就いた。アインシュタインは、特許局で厳しい長官の監督と指導の下に工業製図の読み取り、特許申請書類の批判的検討法を身に付けるとともに、1日8時間の荷下ろし作業をこなした。そして、1日の残りの時間が研究や読書会、睡眠に充てられた。私的時間にアインシュタインは友人たちと、現在〝アインシュタイン・ハウス〟という博物館になっている部屋で〝アカデミー・オリンピア〟という読書会を持ち、科学や哲学の書物を読んで議論した（アインシュタインが26歳の1905年には、この集会の場が奇跡の創造的爆発の場となった）。

1905年、博士号を取得するためにアインシュタインは、特殊相対性理論に関連する論文を書き上げチューリッヒ大学に提出するが、内容が大学側に受け入れられなかった。そのため急遽代わりに提出した学位論文「分子の大きさの新しい決定法」を挟んで、アインシュタインは、いわゆる3大論文、①光量子仮説の「光の発生と変換に関する一つの発見法的視点について」（後の1921年度のノーベル物理学賞受賞論文）、②ブラウン運動論の「静止流体中に浮遊する粒子の、熱の分子運動論から要求される運動」、③特殊相対性理論の「運動物体の電気力学について」をほぼ100日の間に投稿し、いずれも『物理学年報』第17巻に掲載された。無名の特許局局員が提唱した〝特殊相対性理論〟は当初周囲の理解を得られなかったが、マックス・プランクの支持を得たことにより次第に物理学界に受け入れられるようになった。1907年、アインシュタインは有名な式$E=mc^2$を発表するとともに、後の一般相対論の基礎となるアイデア（等価原理）を思いついた（アインシュタインはこれを生涯最良の名案であると述べている)。

１９０９年、アインシュタインは特許局に辞表を提出し、チューリッヒ大学の助教授となり、翌年の１９１０年にはプラハ大学の教授となった。そして、１９１２年には母校チューリッヒ連邦工科大学の教授として就任した。さらに、１９１４年にはベルリン大学教授、兼新設予定の理論物理学研究所所長としてベルリンに赴任、そして第一次世界大戦が勃発すると、最初の政治的反戦声明となるニコライ＝アインシュタイン宣言に署名した。１９１６年には一般相対性理論を発表したが、１９１７年にアインシュタインは肝臓病や黄疸といったいくつかの病に襲われ、数年間いとこのエルザ・レーベンタールに看病された。

１９２２年、アインシュタインは前年度に保留されていた１９２１年度のノーベル物理学賞を授賞され（受賞理由は「光電効果の発見」による)、１９２５年にはボース＝アインシュタイン凝縮の存在を予言する論文を発表した（１９２０年代以降、アインシュタインは当時知られていた自然界における二つの力である重力と電磁気力を統一する統一場の理論構築に傾注していくが、これはついに成功しなかった)。１９３３年、アインシュタインはナチス政権の出現でアメリカに亡命し、プリンストン高等学術研究所の教授に就任した。その後アインシュタインは、アインシュタイン＝ポドルスキー＝ローゼンのパラドックス（量子力学と相対性理論の矛盾）やローゼンとともにワームホール（アインシュタイン・ローゼン橋）の概念などを発表した。また、アインシュタインは、１９３９年には亡命科学者Ｌ・シラードとＥ・テラーの要請を受けて、原子エネルギーの軍事的意味とナチスの開発可能性についてルーズベルト大統領に注意を喚起した有名な手紙を口述し、署名した。そして、第二次世界大戦後の１９４６年、アインシュタインは原子科学者緊急委員会議長の役目を引き受けるとともに、国連総会に世界政府の樹立を提唱する手紙を送った。さらに、１９５５年には哲学者バートランド・ラッセルとともに核兵器の廃絶や戦争の根絶、科学技術の平和利用などを世界各国に訴える内容のラッセル＝アインシュタイン宣言に署名した。その２日後に、アインシュタインはずっと以前から分かっていた腹部大動脈瘤が破裂し、緊急入院した。しかし、手術を拒否したため、その５日後に76歳にて死去した。

チャールズ・ダーウィン(25〜27)**【Charles Darwin　イギリスの自然科学者。ダーウィンの提唱した自然選択説は現在でも進化生物学の基盤の一つであり、ダーウィンの科学的な発見は修正を施されながら生物多様性に一貫した理論的説明を与え、現代生物学の基盤をなしている】**

優秀な天分と物質的・精神的に恵まれた環境の下に学問をし、終生官職に就くことがなかったチャールズ・ダーウィンは、裕福な医師の家庭の次男として１８０９年にイングランドで生まれた。ダーウィンが８歳の時に母が死亡し、３人の姉が母親代わりをつとめた。ダーウィンは、密かな自由思想家で非宗教的な父によって英国国教会で洗礼を受けさせられたが、兄妹や母とともにユニテリアンの教会に通った。子供の頃から博物学的趣味を好み、8歳の時には植物・貝殻・鉱物の収集を行った。さらに、父は園芸が趣味だったため、幼少のダーウィンは自分の小さな庭を与えられた。1818年、ダーウィンはシュルーズベリーの寄宿舎校で古典教育を学び始めたが、学業は不振で、「イヌやネズミを追いかけてばかりいる」と父に叱責されている。

1825年、16歳のダーウィンは父の医業を助けるため親元を離れ、エディンバラ大学で医学を学んだ。しかし、人間の血を見ることが苦手で、自然界の多様性に魅せられていたダーウィンは、外科手術や講義に馴染めず1827年に大学を去った【ただし、ダーウィンは在学中に動物の剥製制作術や植物の分類を学ぶとともに、海洋生物の観察などに従事した】。1828年、父は、エディンバラ大学で結果を残せなかったダーウィンを聖職に就かせるために、ケンブリッジ大学に再入学させ、神学や古典、数学を学ばせた。ダーウィンは、牧師ならば空いた時間の多くを博物学に費やすことができると考え、父の提案を喜んで受け入れた。ダーウィンはケンブリッジ大学でも博物学や昆虫採集に傾倒し、聖職者・博物学者ジョン・スティーブンス・ヘンズローと出会い弟子となった。また、聖職者・地層学者であるアダム・セジウィッグにも学び、層序学に並々ならぬ才能を発揮した。1831年、ケンブリッジ大学を卒業したダーウィンは、恩師ヘンズローの紹介でイギリス海軍の測量船ビーグル号に乗船することになった。父は海軍での生活が聖職者としての経歴に不利にならないか、またビーグル号の事故や遭難を心配し反対したが、叔父の取り成しで参加が認められた。

１８３１年12月にプリマスを出港したビーグル号が海岸の測量を行っている間に、ダーウィンは内陸へ長期の調査旅行を度々行った。１８３４年7月、寄港した南米西岸のバルパライソでダーウィンは病に倒れ、1カ月程度療養した。１８３５年9月にはガラパゴス諸島に到着し、ダーウィンはここに1カ月ほど滞在した。そして、１８３６年6月ケープタウンに到着した時、ダーウィンはヘンズローからの手紙によってイギリスで自分の博物学的名声が高まっていることを知らされた。１８３６年10月、ほぼ5年を要した当初3年の予定の航海を終え、ファルマス港に到着した【ダーウィンはビーグル号に乗船する数週間前まで科学の何たるかさえ知らなかったが、帰還したのは将来を嘱望される生物学者としてのダーウィンであった：ダーウィンは航海での印象と航海中に読んだチャールズ・ライエルの『地質学原理』を基に、地層の変化と同様に、動植物にもわずかな変化があり長い時間によって蓄積されうるのではないか、また大陸の変化によってできた新しい生息地に生物が適応しうるのではないかという思いを抱くに至った。しかし、ビーグル号による世界周航は、ダーウィンにとって好ましい変化ばかりをもたらしたわけではなかった：航海の間とても強壮な青年であったダーウィンが、帰還後数カ月の間に何回も病気の兆候を示し半病人のような状態になり、残りの人生の間、胃痛、嘔吐、倦怠感、動悸、震えなどの症状でしばしば全く仕事ができなくなった（この病気の原因として現在、シャーガス病、あるいはいくつかの心の病が示唆されている）】。

ダーウィンからの手紙をヘンズローがパンフレットとして博物学者たちに見せていたので、科学界ですでに有名人だったダーウィンは、帰国後目覚ましい変化と発展を遂げていった。先ず、１８３７年1月にロンドン地質学会で最初の論文を読み上げ、2月にはロンドン地理学会の会員に選ばれた。また、3月にはロンドンに移住し科学者や学者の輪に加わるとともに、１８３８年3月には地質学会の事務局長を引き受けた。そして１８３９年から１８４３年にかけてビーグル号航海の記録を全五巻の『ビーグル号航海の動物学』として公表し、続いて１８４２年から『ビーグル号航海の地質学』全三巻を出版するなどした。

今述べたビーグル号航海の科学的なレポートの出版という主要な仕事の陰で、ダーウィンは自然選択の理論に関する研究を10年以上続け、親しい友人にだけ自分の説をスケッチとエッセイにして打ち明け、完璧な理論の構築を目指した。そのような中、１８５６年に種の始まりに関する自らの理論に類似したアルフレッド・ウォーレスからの手紙（論文）を落手したダーウィンは、ライエルに、ウォーレスに対する先取権を確保するためすぐに発表するよう促された。この時ダーウィンは脅威を感じていなかったが、１８５８年6月に再度自然選択を解説するウォーレスからの小論を受け取った時、〝出鼻をくじかれた〟と衝撃を受けた。家族の病気と不幸で事態に対処する余裕のなかったダーウィンは、この問題をライエルとジョセフ・フッカーに委ねた。二人はダーウィンの記述とウォーレスの論文を、三部構成の共同論文として１８５８年7月にロンドンリンネ学会で代読した。そして１８５９年にダーウィンは、『種の起源』を出版した。ダーウィンの学説はとても激しい反発を受けたが、フッカー、トマス・ハクスリー、エイサ・グレイやエルンスト・ヘッケルなどの支持者の支援を受けて、次第に社会における認知と影響力を拡大していった。さらに、ダーウィンは、１８６８年に『家畜と栽培植物の変異』、１８７１年に『人の由来と性に関連した選択』、１８７２年に『人と動物の感情の表現』を出版し、〝巨大な本《自然淘汰》〟の完成を目指した。しかし、存命中は未完のままに終わった。１８８２年、ダーウィンは自宅にて73歳で死去した。

グレゴール・メンデル(28〜31)**【Gregor Mendel**　オーストリアの司祭・植物学者であるグレゴール・メンデルは、メンデルの法則と呼ばれる遺伝に関する法則を発見したことで有名である。遺伝学は、メンデルの法則の再発見とともに誕生した**】**

シュレジェン地方の小村に農夫の第二子として生まれ、幼時から農芸方面の仕事を手伝ったりして自然に親しんでいたメンデルは若い頃から自然科学に興味を持っていたが、家計が豊かでないので家庭教師をしたりして、オルミュッツ（現在のチェコ）の学校で2年間哲学を学び22歳の時卒業した。

メンデルは１８４３年にブリュンの教会へ司祭候補者として入り、グレゴールの名を与えられた。１８４７年に司祭になったが、この修道士として訓練を受けている間に、メンデルは自身で科学をかなり勉強した。１８４９年からしばらくの間、メンデルはブリュンの近くのギムナジウムでギリシャ語と数学を教えた。この勉学に対する努力が認められ、メンデルは1851年から1853年まで修道院長の推薦でウィーン大学に入り、そこで物理学、化学、数学、動物学および植物学を学んだ。1854年メンデルはブリュンに戻り、工業高等学校で1868年まで自然科学を教えていたが、彼は正規の教師としての資格試験には合格しなかった。1868年、メンデルは修道院長に選ばれた。

遺伝の基本的な原理を引き出し、そしてそれによって遺伝学を科学へと導いたエンドウを材料とするメンデルの実験は、1856年に修道院の小さな庭で始められた。そして、7年間の年月を費やして、いわゆる〝メンデルの法則（メンデリズム）〟を発見したが、その間にメンデルは225回の人工交配と1万2980の雑種を得ている。メンデルは実験結果を二つの論文としてまとめ、1865年にブリュンの自然科学協会の例会でそれを発表し、1866年の同協会の紀要でさらに詳しく報告した。それらの論文は、さらに「植物の雑種に関する実験」としてまとめられ、ヨーロッパやアメリカなどの主な図書館にも送られた【メンデルは、「これまで行われた数多くの実験の中で、雑種の子孫に現れる、異なった形質を持つものの数を決定したり、あるいはそれらの形質を確実に各世代について整理し、さらにそれらの間の統計的な関係を確定したりすることができるような規模と方法をもって行われたものは一つもなかった」と断言している。事実、メンデルの実験は、〝その計画の巧妙なこと［少数のはっきりした形質だけを研究の対象とした（それまでは一時にあれもこれもと欲張ったものが多かった）］、実験の正確さ［親、子、孫と系統別に種子を取り、各個体を精密に観察して正確に記録したこと（それまでは同一世代のものを混合して調査するのが普通だった）］、資料処理法の卓抜な点［実験結果を数理的に分析し、事実の根底に横たわる理論を発見しようと努めたこと］、論理の明快なことなど、生物学史上最も優れた実験の一つと称しても過言ではない〟と称賛されている】。

しかしながら、ブリュンや他の場所において、当時の生物学的な思考には全然影響を及ぼさなかった。メンデルは、当時ミュンヘン大学植物学教授であったK・W・ネーゲリ（当時の植物生理学の大家）にも論文を送ったが、ネーゲリは、メンデルの論文は数学的な理論ばかり目に付き、全く理解できないと批判し、この大発見の持つ重大さを正当に評価できなかった。メンデルは、偉大な生物学者として正当な評価を受けることなく、１８８４年に61歳でその生涯を閉じた【メンデルの死後、紀要論文の発表から34年を経過した１９００年に至り、オランダのユーゴ・ド＝フリス、ドイツのカール・コレンス、オーストリアのエリック・チェルマクの3人が、互いに独立に相前後して自分の研究を発表すると同時に、メンデルの業績を引用し、かつそれを確認した。これをメンデルの法則の再発見といい、遺伝学はこの〝再発見〟とともに誕生した】。

人生の目的の実現（自己の開花と実現）における三人の共通点

以上のように、アルベルト・アインシュタイン、チャールズ・ダーウィン、およびグレゴール・メンデルは、自分の才能（最も興味を抱いていて、かつ時間を忘れるほど没頭できる適性）を向上させるにあたって、親の期待や周囲の人達の評価をあまり気にせず、自己（の適性）を開花・実現させることに対して努力を惜しまなかった。たとえば、アインシュタインは定職に就いた23歳から、特許局に辞表を提出しチューリッヒ大学の助教授になる30歳の年まで、かなりの長期にわたって自己を開花・実現させることに最大の努力を払っている。また、ダーウィンの場合は、医学に馴染めず親の期待を裏切る結果に終わったエディンバラ大学を去った後も心を入れ替えず、次のケンブリッジ大学においても博物学や昆虫採集に傾倒した。そして、そのことが恩師ヘンズローとの運命的な出会い、および（無給の乗組員としての待遇での）5年間にも及ぶビーグル号乗船に繋がった。さらに、帰国後は胃痛、嘔吐や倦怠感などの症状でしばしば全く仕事ができなくなったにもかかわらず、人生をかけて自然選択説における完璧な理論の構築を目指した。そして、メンデルの場合は、家が裕福でないので、学問［博物学（自然科学）］を志す道を修道院の内に求めている。その後、修道院で一生懸命勉学に励んだメンデルは、高く評価され大学への道（遊学）が開かれた。2年後ブリュンに戻ったメンデルは修道院に勤務する傍ら、7年間の年月を費やした膨大な量の実験に取り組んでいる（ただし、メンデルの場合には、生まれてくる時代が早すぎたために、34年もの間彼の業績が人々に理解されなかった。このことは、メンデルにとっても、さらに人類にとっても非常に残念なことである）。

このように、彼等もまた多大の苦難・困難を通して自己（適性）を開花・実現させている。

3 歴史上の偉人たちの生き方を学ぶ際の留意事項

歴史上の偉人や賢人たちの伝記の多く、特に子供向けの伝記においては、彼等を評価・称賛する上で好ましくないと思われる事実が正確に伝えられていない（あるいは、伏せられている）ことが多い。

たとえば、二宮尊徳の場合は、伯父の農業を手伝いながら尊徳の心を占めた思いは一家再興の願いであったこと、そしてその目的のために尊徳は18歳の頃から〝日記万覚帳〟を付け、米や金銭を他人に貸し付けて元利を殖やし、田畑の買い戻しや新規購入を進めたこと[17]、マリー・キュリーの場合は、幸福ではない形での恋愛事件が彼女にパリ行きを決意させたこと[20]、アルベルト・アインシュタインの場合は、読字障害のためアーラウのギムナジウムに通うことを条件にスイスの連邦工科大学への入学資格が得られたこと、兵役義務を逃れるためにドイツ国籍を放棄して以後スイス国籍を取得するまでの5年間無国籍になったこと、大学の講義にはあまり出席せず自分の興味ある分野にだけ熱中していたことや、大学の物理学部長との不仲が災いして大学の助手として採用されず浪人生活を経験したこと、[24]そして、チャールズ・ダーウィンの場合は、寄宿学校での学業は不振で、「イヌやネズミを追いかけてばかりいる」と叱責されていた子供時代や、親の期待を裏切り、エディンバラ大学からケンブリッジ大学に再入学しても心を入れ替えなかったこと、[27]さらに、グレゴール・メンデルの場合はアルコールに溺れた晩年の生活、[28]などが典型的な事例として挙げられる。

さらに、本書で取り上げなかった歴史上の偉人たちにもそのような例は多く見られ、たとえば、野口英世の場合には、遊蕩の巷をさまよい多額の借金を拵えた20代前半の姿と、このことが原因して清作から英世に改名したこと、英世の発表した通りの方法を試みても梅毒スピロヘータの純粋培養は行えず、英世の提唱した方法自体に疑問が持たれていること、梅毒性の精神疾患の原因解明を除くと、その医学上の業績の評価については疑問視されていることや、梅毒スピロヘータの純粋培養に関する研究において、小学生を実験の対象群（コントロール）として使い厳しく弾劾されていること、[32,33]エイブラハム・リンカーンの場合は、黒人が人種的に劣っていると考えていたことや大統領時代に行ったインディアンに対する残虐な行為（大量虐殺を指揮したこと）、[34]トーマス・エジソンの場合は、電気椅子による死刑の方法をニューヨーク市に提案したこと（直流送電派のエジソンは、対立するウェスティングハウス・エレクトリック社の交流発電機を使った感電の動物実験を重ね、いかに危険な送電方法であるかを印象づけるために、電気椅子の電源に交流の採用を画策したこと）、ハリウッドが生まれる以前のアメリカ映画では、エジソンの会社がアメリカ合衆国東部において映画業界を独占していて、他社の映画製作をマフィアを使うなどして妨害したことや、ジョルジュ・メリエスの傑作『月世界旅行』を公開前に無断で複製しアメリカ合衆国中の映画館に売りつけ、巨額の富を得たことなど、そのような事例は多い。[35]

ところで、彼等が人類の発展に大きく貢献した人間であるばかりでなく、彼等の経験した挫折や失敗が彼等を大きく成長・飛躍させたことは疑うべくもない。しかしながら、人生の目的は、「完全性を宿した未完の存在である私達人間が、人生の階段を上がるごとにその度を増す苦難・困難さとその克服の連続を通して人格を完成させていくこと、換言すると、いかなる事態においても社会のため人類のために貢献し、普遍的な愛【己を思わず、報酬を求めず、ただひたすらにすべてのものの幸せを願い、ただひたすらにすべてのものを愛すること[11]】を目指して人格を完成させていくこと」であると私は考えている。[36]そのための第一歩が人生の目的の実現（自己の開花と実現）による精神の覚醒であり、そしてその後の精神性・知性の飛躍的な向上、さらに、〝無限〟とのより緊密な調和や〝宇宙の（絶対的）法則〟の遵守によるさらなる精神性・知性の向上が続く。そしてその結果として、愛の最高の表現である普遍的な愛に向けての道が開かれる。[1]しかしながら、本書において紹介した二宮尊徳、マリー・キュリー、アルベルト・アインシュタイン、チャールズ・ダーウィン、およびグレゴール・メンデルの人生に見るように、〝人格の完成〟や〝普遍的な愛（への道）〟へは、直線的に（真っすぐ）進むわけではなく、[36]苦難・困難への直面（真摯な取り組み）とその克服を通して徐々に前進していくのである。換言すれば、マハトマ・ガンジー、マリー・キュリー、アルベルト・アインシュタイン、アルベルト・シュバイツァー、エイブラハム・リンカーンなど、すべての偉人たちが経験した苦難・困難や挫折・失敗とその克服が彼等を大きく成長・飛躍させたのであり、この事実こそが非常に重要な真実なのである。それゆえに、非常に素晴らしい可能性を秘めた子供たちに歴史上の偉人たちの生き方を通して、人格の完成の在り方と普遍的な愛への道についての基本を教えるためにも、歴史上の偉人たちの生き方および人生の真実を伝える必要がある。

今述べた意味において、歴史上の偉人や賢人たちの人生の在り方、すなわち、苦難・困難との直面とその克服を通して、最初のとても重要な理に適った人生の目的を実現する（自己を開花し実現する）ことが、人格の完成を目指すその在り方を教える上でのとても素晴らしい教材となる。しかしながら、〝無限&無限のエネルギー〟の在り様およびそれを土台として構築されている〝宇宙の（絶対的）法則〟を基本としない、つまり、完全（完璧）という言葉の真の意味を理解していない人、特に教育者が、子供たちに歴史上の偉人や賢人たち［偉大な人間として祭り上げられ見習うべき人間とされた、素晴らしい人間であるが完全ではない（完璧ではない）人間、あるいは完璧からはほど遠い人間］の人生の在り方を教えることは、自分達にとって都合の良い人間および自分達が価値づける人間をつくり上げる可能性がとても高い。そのような教育は、子供たちの将来の選択の自由、さらに人生を通しての自由を奪うという意味で、〝宇宙の（絶対的）法則〟に反しているので、絶対に慎まねばならない。このことに関して、シルバー・バーチ(5)は、私よりはるかに適切に、かつ子供たちの将来、子供たちの自由、潜在意識や望ましい教育の姿などいくつもの繋がりを含む事項を、〝宇宙の（絶対的）法則〟の下にとても判りやすく教えているので、以下に紹介する：「意義ある社会の一員として、いかなる事態においても、社会のため人類のために貢献できる人物に育てるための知識を授けることが、教育の根本義です。それには何よりもまず、宇宙の摂理がいかなるものであるかを説いてやらねばなりません。人間が有する偉大な可能性を教え、それを自分自身と社会に役立てるために、開発するよう指導してやらねばなりません。……教育者は教育というものの責任の重大さを自覚しなくてはなりません。子供の潜在意識に関わることであり、教わったことはそのまま潜在意識に印象づけられ、それが子供のその後の思想を築いていく土台となるのです。その意味で、真理・真実を弁えていない訓えを説く教育者は、動機がどうであろうと、人類とその文明の将来に罪を犯していることになるのです。子供に種々様々な可能性が宿されていることを知らない人、霊的真理に通じていない人、子供が霊的存在であり神の子であることを知らない人、宇宙における人間の位置を理解していない人、こうした人に育てられた子供は健全な精神的発育を阻害されます。……〝自由〟こそが、教育の核心です。教育に携わる人が、子供に自由を与えてやりたいという意図からでなく、習俗や寓話への忠誠心を植え付けたいという願望から物事を教えていけば、それは子供の精神の泉を汚染することになります。もしも知性があれば拒絶するはずの［〝宇宙の（絶対的）法則〟に照らして］間違った考え方を教え込むことは、教育的観点からみて、その子にとって何の益にもなりません。それだけでは済みません。いつかきっと反撥を覚える時期がまいります。無抵抗の幼い時期に間違ったことを教え込んだ人達みんなに背を向けるようになります。……間違った育て方をされるということは、成長が阻害されます」である。

ところで、直面する苦難・困難が徐々に克服され、最初のとても重要な理に適った〝人生の目的（自己の開花）〟が実現されるにつれて、すなわち、精神が覚醒されていくにつれて、人は往々にして精神性の向上を求めるようになる。その時、仏教における〝六波羅蜜〟やキリスト教における〝山上の垂訓〟などを入り口として、智慧とは何か、さらに知性を身に付けるためには、ということを考え、そのための勉強をするようになる。そしてその際に気づき始めるのが、科学（知識）と智慧とは同じではない（より正確には、知識の直線的な延長線上に智慧は存在しない）、さらに、知性と科学は異なる、ということである。そこで、次に〝科学と知性〟について進める。

II　科学と知性

1 科学と知性

科学と知性の（在り方と培い方の）違いが判らなければ、現在起こっている（極限に達しているとも思われる）世界の混迷状態を解決することも、またそのための唯一の手段である〝宇宙の（絶対的）法則〟の重要性についても理解することはできない。なぜなら、現在世界で起こっている深刻な問題の本質は、知識の欠如によってもたらされているわけではなく、知性の不足に起因しているからである。たとえば、スーザン・ジョージ(37)は、「要するに、私達は貧困と格差については知っている。……世界で慢性的に続き、常に悪化し続けるこの側面に関して、もしも、知的エネルギーが費やされ、統計が積み上げられ、森林が破壊されて紙になり、インクがニュースの印刷に使われるだけで問題が解決するものなら、地球上の誰もがとっくにお腹一杯に食べられているはずである。特に、……地球の反対側の（南半球の）人達が誰よりもはるかに多くを手にしているはずである」と知性の大切さを明言している。また、1963年における中央教育審議会答申の中の「期待される人間像」――〝現代文明の特色と第1の要請〟でも、「……忘れられてはならないことがある。それは産業技術の発達は人間性の向上を伴わなければならないということである。……日本国憲法および教育基本法が、平和国家、民主国家、福祉国家、文化国家という国家理想を掲げている……福祉国家となるためには、人間能力の開発によって経済的に豊かになると同時に、人間性の向上によって精神的、道徳的にも豊かにならなければならない。……人間性の向上と人間能力の開発、これが当面要請される第1の点である」と、知識（科学）と人間性の向上（知性の涵養）は車の両輪の関係であることが明確に謳われている。

ところで、その知性の大切さと知性の培い方が知識とは異なることが、古くから指摘されている。たとえば、ソクラテス(38)は、「すべての物事が、教えることが可能である」と主張したソフィストに対して、「普遍的道徳が知識であるならば教えることが可能であるが、もし知識でないならば教えることは不可能である」と疑問を呈した。また、知行合一説などで有名な王陽明(39)は、「学問によって聖人に到達しうる」とした宋学に対して、「知識の外延的な集積によって、果たして聖人に到りうるか」と反論した。さらに、ジェームズ・アレン(9)は知性のある段階の一表現である知恵と知識の獲得方法の違いを、次のようにとても判りやすく説明している…「知恵は、書物や旅や学問や哲学の中で見つけられるものではなく、実践によってのみ獲得することができます。たとえ、偉大な哲学者の著書に精通していたとしても、自分の激しい感情に屈し続けていれば、知恵を獲得することはできません。どれだけ本を読み、どれだけ勉強したとしても、自分の過ちに気づき、それを放棄しなければ、何の意味もありません」である。このように、知識と知性の獲得方法や培い方には相違があり、その相違の重要性に関しては苦言が呈されている。それにもかかわらず、現在でも一般的には、知識を蓄積すれば智慧および知性が生まれてくる（知識の直線的な延長線上に智慧や知性が存在する、換言すると、知識が増えれば増えるほど智慧や知性が増す）と考えている人は多い。その意味において、知識（科学）と知性の獲得方法や培い方の相違に関しては、21世紀の現在においても未解決のままであると言える。

2 科学と知性の在り方と培い方の相違

科学者の中には、宗教の本質を理解せずに、宗教を非科学的であると否定することによって、科学に必要以上の価値づけ（唯一の正当な真理探究の方法および最も合理的な真理判定の手段としての科学という位置づけ）を行おうとする人達が少なからずいる。そのような人達は、宗教が信仰の上に成り立っていると捉えているが、実は、日本における現在の科学もある意味で信仰によって支えられている。いわゆる〝科学信仰〟である。その典型的な根拠としては、過度の〝創造性の強調〟、〝非科学的という言葉〟の吐露による他者の過度の否定、〝科学的に（客観的に）判断して〟という文言の使用による過度の正当性の主張や、過度の権益の主張と保護に通ずる〝著作権（の乱用）〟などが挙げられる。たとえば、新たなものを創り出す〝創造性〟について見ると、創造性を求めるあまり私達は小さなことに拘泥し、しかも針小棒大に表現し、創造性と独創性を自らが過度に強調することになってしまうという事象を時折見掛けることがある。その結果、他人の説に同調することや支持することをあまり好まない、つまり、自己の正当性を過度に強調する自説をつくり上げてしまうという、知性の不足した科学へと導かれてしまう。すなわち、人類の発展と幸福に貢献する使命を持つはずの科学が、自分を価値づける手段としての、そして自分の将来の物質的な幸せと権威とを優先させる科学へと変貌してしまっている。とても残念なことは、科学本来の使命からかけ離れてしまっていることに気が付いていない、あるいはそのことに対して目を瞑ってしまっている科学者、特に若手科学者が多数輩出されてしまっていることである。

ところで、本来、車の両輪の関係にある科学（知識）と知性は、IIの〝1 **科学と知性**〟で指摘したように、在り方と培い方が大きく異なる。そのことを明確に認識するために、知識（科学）と知性はその成り立ちが異なることを知識として明らかにする。以下に、科学（知識）と知性の成り立ちの特徴的な相違のいくつかを列挙する。

1．本来知識全般を意味した科学は、現在は知識のうちのある特定の部分を指すとともに、特別の意味合いを担っている。たとえば、その科学を岩井弘融[40]は、「経験的実在に関して、客観的・組織的に体系化された法則的知識である」と定義している。このように、科学は知識であるから、当然人格を持たない。一方、知性は旺文社の『国語辞典 第十版』には、〝人間の持つ思考・判断の能力。感情や意志に対して、特に高度の抽象的・概念的な認識能力〟とある。このように、知性とは、人間の精神性のレベル（知的レベル）を示す言葉であり、人格そのものをも意味している。今述べたことから理解されるように、科学と知性とは、先ずその性質と次元が全く異なる【それゆえに、これらのことより、科学（知識）には物事の善し悪しもなく、またその判断もできないから、知性の不足した人間が科学を悪用した場合、人類にとって取り返しのつかない事態が起こることも想像に難くない。真に、私達人類の歴史そのものである。知性の涵養が、喫緊の課題である所以である】。

2. 科学と知性を司る脳の部位はともに大脳皮質であるが、大脳皮質のうちの後頭葉、頭頂葉、および側頭葉が科学（知識）を担い、前頭葉の活性化が知性（理性・創造性など）を向上させる。

3. 科学は、基本的に、理論と実際を弁証法的に統合し、その矛盾から新たな理論および法則が生まれてくる。そして、元の理論・法則は、その後修正されるが、やがて使われなくなる傾向が強い（たとえば、メンデルの法則のうちの優劣の法則と独立の法則や、リービッヒの最小律など）。一方、知性における基本および真理の場合は、苦難・困難の克服とその際の気付きを通して修正され、新たな基本・真理が獲得される。しかしながら、元の段階での真理はそのレベルだけでなく、他のレベルにおける真理としても厳然として生きている。たとえば、〝蒔いた種は自分で刈り取らねばならない〟や〝己の欲せざる所は人に施す勿れ（何事でも自分にしてもらいたいことは、他の人にもそのようにしなさい）〟など（ただし、基本の摂理の中には科学技術の進歩に伴って修正、あるいは破棄されるものもある）。

4. 科学的な能力の育み方の基本は、知識の収集・蓄積とその駆使にある。したがって、科学的な能力は、比較的短期間のうちに飛躍的に向上する可能性がある。一方、知性の基本的な培い方は、知識・理性・信念に基づいて自らの考えや見解を述べることを繰り返す（習慣を身に付ける）とともに、その知性のレベルに相応しい行動を習慣化することにある。それゆえに、知性の向上は、階段を一歩ずつ上がっていくように、とてもゆっくりとしている。

5. 科学においてはそれぞれの分野や領域の研究の最先端を視野に入れ、それをさらに発展させることが基本となる。それに対して、知性においては、先ず、自分の知性のレベルに合った考え方を見つけ出すとともに、その知性のレベルを一歩ずつ向上させるために、その考え方を自分なりの方法で（知識・理性・信念に基づいて）実践していくことが基本となる。

などである。

次に少し視点を変えて、以上の科学と知性の在り方の相違に基づいて、将来の社会、さらに世界を予測するという観点から、科学と知性の違いについて触れる。

6. 知性を大切にする人は、五感の延長線上にある能力である心霊的な（サイキック）能力に関心を示すとともに、その能力を発達させる、いわゆる右脳を活性化させる。その結果、争いごとが少なくなっていく[3, 36]。一方、（日本において）五感に基づく経験的実在を基礎とする科学を最重視する人は、左脳の働きを大切にする。そのために、正しい・正しくないという二元論に基づいた思考が中心となり、争いごとが多くなる[41]。

7. 科学においては、基本的に、過去の歴史の延長線上として（過去を基礎として）未来を予測する。一方、高い知性に基づいて未来を予測する場合は、将来のあるべき姿（究極的には、〝無限〟の在り様）に基礎をおいて現在の為すべきことを判断する。その結果、科学における未来の予測は、競争原理や力による支配という予測が主流となる。しかしながら、高い知性に基づいて未来を予測する場合は、愛による統治が基本となる。つまり、科学を基本とする未来の予測と知性を最重視する人による未来の予測は、大きく異なったものとなる。

以上、科学と知性における成り立ちと培い方の相違、および予測される将来の姿の違いなどについて述べた。

Ⅲ　本書の特徴

〝**はじめに**〟で示したように、〝無限〟の在り様を土台としてつくられている〝宇宙の（絶対的）法則〟を理解することは、決して簡単なことではない。なぜなら、〝宇宙の（絶対的）法則〟は、〝無限〟およびその属性を理解、意識し、さらに〝無限〟と調和することを志し、しかも、とても高度の知識を豊富に有する非常に知性の高いスピリットからの援助がない限り、理解できないようにつくられているからである。[4]そして、そのとても高度の知識を豊富に有する非常に知性の優れたスピリット（知性の非常に優れたスピリット）からの援助を得るためには、通常の人が手にするような書籍ではなく、〝無限〟や〝宇宙の（絶対的）法則〟と結び付くための知性の向上を求める、知性の非常に優れたスピリットによる援助の下に書かれた書籍とのとても密接な繋がりが望まれる。そして、その高度の知性が求められる書籍では、表現方法や仕様が種々存在することを宗としなければならない。なぜなら、同じ真理や内容でも、魂を信じるか信じないか、あるいは聖霊に対する真の理解が有るか無いかなど、立場や知識の違いによって異なる形で表現されるからである。すなわち、私達が捉えるところの〝科学的知識および科学的方法〟を用いて真理を伝えることもできるが、その場合には私達の想像をはるかに超えた知識であるため、明らかに私達の理解を超えている。したがって、私達に真理を伝えるためには、真の方便の形を取らなければならない（そうすることによって、真理がはるかに判りやすくなるからである）。以下にその具体的な例を二つ示すと（◎印が、私達が捉えるところの、いわゆる科学的知識を用いて表現された真理である）：

具体例1：人生の目的を実現することの重要性（自己を開花・実現することの意義）

○魂のシナリオには、二つの側面があります。一つは、過去生のカルマゆえに、どうしても本人が向き合わなければいけない課題があること。そして、その課題を乗り越えて心の成長を遂げられたならば、この世における新たな人生のシナリオが書き加えられて幸せを手にすることができる――これが二つ目の側面です。……知っておいていただきたいのは、この世の不幸から脱して、幸せを手にしたいのなら、人生の困難な状況から逃げないことです。魂のシナリオにそって一所懸命に生きることが、あなたの人生をより豊かなものにし、あなたらしさを輝かせるとともに、ひいてはそれが魂の成長につながります[14]。

○人間はある目的を果たすために、この世に生まれてきました。その目的が何かを明らかにする責任は、私達の手に委ねられています。人生の目的に気づけば、自分に素晴らしい潜在能力があるということに気づくようになります。……人生の目的に気づけば、心の中にある〝純粋な潜在性の場〟に到達するための道が開かれます。なぜなら、願望の中には、すでにその願望を実現するための種や仕組みが備わっているからです(10)。

◎人は、個人の開花というものを考慮しなければなりません。それなしには、精神はその潜在的能力を十分に発揮することはできませんし、また無限と調和して、新しい人間になることもできないからです(1)。

具体例2：「〝無限〟と調和することの重要性&無限の可能性」を教える真理に対しての異なる表現(4)

○インスピレーションは人間が〝神〟と呼んでいるもの、すなわち、宇宙に遍く内在する大霊から流れてくる。

○人間は霊の大海の中に生きており、すべての知識と叡智はそこから魂へと注ぎ込まれている。

○聖霊の内在。

○神は人間とともにあり、人間の心の中に宿り給う（「ヨハネによる福音書」第14章17節）。

○一人ひとりが内部に普遍的大霊の一部を宿している。

○人間は、すべて絶対神の顕現である。

前記の言葉はすべて、「神の子である人間が、〝無限〟と（より緊密に、さらには完全に）調和することの重要性とそのことによって得られる無限の可能性」を教える真理に対しての異なる表現であるが、人類がその意味を理解できず現在のように自分勝手に振る舞うと、

◎人は、兄弟姉妹として共に生きていく術を学ばなければならない、さもなければ、私達は愚か者として滅びるだろう[42]。

○今、地上人類に降りかからんとしている苦難があまりに恐ろしいもので……人類自らが人類を、そして地球そのものを破滅に陥れることになります。人類は物質文明を自負しますが、霊的には極めてお粗末です。願わくは、その物質文明の進歩に見合っただけの、霊性が発達することを祈ります。つまり、これまで〝物〟に向けられてきた人間的努力の進歩に匹敵するだけの進歩が、精神と霊性の分野にも向けられればと思います。進歩に霊性が伴わない今の状態では、使用する資格のないエネルギーによって自らを爆破してしまう危険があります[11]。

である。

以上のように、知性の非常に優れたスピリットを含む〝見えない力〟は私達に知性の重要性

を伝えるために、それなりの方便としての適切な表現を用いている。

ところで、〝無限（&無限のエネルギー）〟や〝宇宙の法則〟について言及している書籍・論文・百科事典などの知見は比較的多く存在するが、知識としての〝無限〟や〝宇宙の法則〟ではなく、知性の飛躍的な向上や〝宇宙の（絶対的）法則〟との繋がりという観点に立っている〝無限〟、および〝無限&無限のエネルギー〟の在り様を土台として構築されている〝宇宙の（絶対的）法則〟を扱っている知見となると、決して多いとは言えない。さらに、この章の冒頭で述べたように、〝宇宙の（絶対的）法則〟の前提となる〝無限&無限のエネルギー〟およびび〝宇宙の（絶対的）法則〟とその関連事項を理解することは決して簡単ではなく、ましてそれらの重要性を私が自分の言葉で説明するとなると、明らかに私の説明能力を（はるかに）超えていることが多々ある。しかしながら、〝無限&無限のエネルギー〟と〝宇宙の（絶対的）法則〟に関する知識は、今真に私達人類が直面している人類の未来（の存続）に関わる非常に重大な考え方を教えてくれている。そこで、本書においては、〝無限&無限のエネルギー〟の重要性や〝宇宙の（絶対的）法則〟とその関連事項（たとえば、生き方や社会の在り方）についての以下のような言説に対しては、できる限り正確に引用していく。

具体例3：〝無限&無限のエネルギー〟ととても緊密に調和することによってもたらされる生き方と社会の変革

精神的な知識ではない、ただの物質的な知識は、文明がある程度科学的進歩を遂げてくると、人類に害をもたらすようになります。本来科学は、人々を物質界に閉じ込めるのではなく、人々の精神的発達を助けるべきものなのです。……地球の多くの人々は、核兵器を最大の脅威と信じているでしょうが、そうではありません。最も危険なものは、〝物質主義〟なのです。あなたの惑星の人々は〝金〟を求めますが、それはある者には権力を得る手段であり、ある者には薬（ドラッグ）を得る手段であり、またある者には周りの人々が持っていない物を所有する手段です。もしあるビジネスマンが一つ大きな店を経営したとすると、次には2店目、3店目と欲しがります。もし小さな帝国を支配している者がいれば、その支配を拡大させたがります。たとえ家族と平和に暮らせる家を持っている普通の人でも、さらに大きな家や2軒目、3軒目を欲しがります。なぜこんな愚かなことを！　人が死ねば、それまで蓄えてきたものを放棄せざるを得ません。おそらくその子供たちは彼の遺産を浪費し、孫たちは貧乏に暮らすことになるでしょう。そうなれば、その人の全人生は、精神的事柄について充分に考えることもなく、ただ物質的なことに拘泥してきたのと同じことになります。また、富裕な人々は人工的なパラダイスを味わうために薬に手を出し、さらに大きな犠牲を払う破目に陥るでしょう。(43)

具体例４：〝無限＆無限のエネルギー〟

私達は、霊が生命を吹き込んでくれたおかげで、共通の絆を与えられているのです。そのことによって、全世界の神の子が、根源において結ばれていることになるからです。……この崇高な事実こそ、あらゆる物的差違、あらゆる障害、あらゆる障壁を超えるものです。肌の色の違い、言語の違い、国家の違いを超越するものです。今の地上世界には、是非ともこの真理が必要です。この理解さえ行き渡れば、戦争は無くなります。世界中ではびこり過ぎている、利己主義と貪欲と既得の権利が撲滅されます[44]。

具体例５：〝宇宙の（絶対的）法則〟の重要性

宇宙には、自然の法則、神の摂理しか存在しません。ですから、その摂理に順応して生きることが何よりも大切であることを人類が悟るまでは、地上に混乱と挫折と災害と破滅が絶えないことでしょう。……その霊的な重要性に目覚めれば、戦争と流血による革命よりはるかに強烈な革命が、地上世界にもたらされるからです。……私達が忠誠を捧げるのは、神とその永遠不変の摂理です[5]。

この章で紹介した具体例がある程度得心できなければ、〝宇宙の（絶対的）法則〟に対する理解の深化を図ることは困難である。そしてその場合、すなわち、前述の具体例が理解できない原因は、私達の無知にある。その無知を払拭するためには、〝無限&無限のエネルギー〟の在り様を土台として構築されている〝宇宙の（絶対的）法則〟という観点に立って、私達の無知に原因している間違いを徐々に明らかにしていく必要があり、そのことが〝宇宙の（絶対的）法則〟に対する理解を深める。その意味において、私達の無知に起因している最大の間違いの一つが、〝完成された〟、あるいは〝完全（完璧）〟という語に対するイメージ（定義）であるので、次に、〝完璧な人間、あるいは完成された人格のイメージ〟、そしてその次に、〝世間にごく普通に見られる間違った考え方〟について進める。

Ⅳ　完璧な人間、あるいは完成された人格のイメージ

宇宙最大の力を有する〝無限〟は、完璧（完全）につくられている。[11] その〝無限〟を人間に置き換えると、〝完璧（完全）な人間〟、あるいは〝完成された人格を持つ人間〟になると考えられる。その〝完璧（完全）な人間〟、あるいは〝完成された人格を持つ人間〟のイメージは、人によって大きく異なる場合があるばかりでなく、〝無限&無限のエネルギー〟および〝宇宙の（絶対的）法則〟とも相違する。そこで、人による捉え方の相違を、大きく、〝一般的〟、〝教育基本法〟、および〝無限（の在り様と完全に調和した）〟という三つの観点に立って考えると、以下のようになる。

■一般的

私達は〝完璧な人間〟、あるいは〝完成された人格〟という言葉から、肉体的にも精神的にも〝他を圧倒する力を有する人間〟、あるいは〝全く非の打ち所がない資質を備えた人間〟というイメージを抱くであろう。より具体的には、強靭な精神と肉体を有する人間、自他に対しての厳しさ、特に自己に対する厳格さを有する人間、知識や知力に裏付けされた権威やカリス

マ性などで他人を隷属させるような力を持つ人間に、より完璧な（より完全な）人間像、あるいは完璧な（完全な）力を有する人間の在り方を求める傾向があると私は考えている。

■**教育基本法**

教育基本法の「第1章　教育の目的及び理念」における「（教育の目的）第1条」には、「教育は、人格の完成を目指し、平和で民主的な国家及び社会の形成者として必要な資質を備えた心身ともに健康な国民の育成を期して行われなければならない」とあり、教育の目的が〝人格の完成〟にあることが明確に謳われている。そして、「（教育の目標）第2条」には、「教育は、その目的を実現するため、学問の自由を尊重しつつ、次に掲げる目標を達成するよう行われるものとする」として、次の五つの事項が掲げられている：

一　幅広い知識と教養を身に付け、真理を求める態度を養い、豊かな情操と道徳心を培うとともに、健やかな身体を養うこと。

二　個人の価値を尊重して、その能力を伸ばし、創造性を培い、自主及び自律の精神を養うとともに、職業及び生活との関連を重視し、勤労を重んずる態度を養うこと。

三　正義と責任、男女の平等、自他の敬愛と協力を重んずるとともに、公共の精神に基づき、主体的に社会の形成に参画し、その発展に寄与する態度を養うこと。

四　生命を尊び、自然を大切にし、環境の保全に寄与する態度を養うこと。

五　伝統と文化を尊重し、それらをはぐくんできた我が国と郷土を愛するとともに、他国を尊重し、国際社会の平和と発展に寄与する態度を養うこと。

以上のように、目的が〝人格の完成〟にある「教育基本法」では、『幅広い知識と教養、真理を求める態度、豊かな情操と道徳心、健やかな身体、個人の価値の尊重に基づく能力の開花、創造性、自由および自律の精神、勤労を重んずる態度、正義と責任、男女の平等、自他の敬愛と協力、公共の精神に基づく主体的な社会参画と発展への寄与、生命の尊重、自然を大切にする、環境の保全、伝統と文化の尊重、愛国心、郷土愛、他国の尊重、国際社会の平和と発展への寄与など』と、人格を完成させるにあたって、想定を超える非常に多くの特性や資質が求められている。

■〝無限（の在り様と完全に調和した）〟

私達人類が（絶対的）法則の上に成り立っている〝無限〟の一部である限り、完全な人間とは〝無限（の在り様）［＝（全生命の根源である）無限のエネルギー］〟と完全に調和した人間、すなわち、普遍的な愛に生きる人間を指す【〝普遍的な愛(11)〟とは、「己を思わず、報酬を求めず、ただひたすらにすべてのものの幸せを願い、ただひたすらにすべてのものを愛する」ことを意味する（ちなみに、愛とは、何の見返りも期待しないで、与えることである）】。このことをより判りやすく説明するために、ミシェル・デマルケ[43]が受けた、とても高度の知識を豊富に有する非常に知性の優れた人による次の説明を引用する：

タオ　「あなた方を守っている家は何でできていますか、ミシェル？」

ミシェル　「レンガや木材、タイル、漆喰、釘などです」

タオ　「それらは何でできていますか？」

ミシェル　「もちろん原子です」

タオ　「その通り。知っての通り、それらの原子は、レンガや他の建築材料を形作るために非常に近接して結合していなければなりません。もしこれらの原子が互いに反発したら、どういうことになりますか？」

ミシェル　「崩壊です」

タオ　「そうですね。あなた方が隣人や自分の子供たちを粗末にしたり、嫌いだからといって他人に援助の手を差し伸べなければ（＝〃無限＆無限のエネルギー〃と調和して生きなければ）、あなた方は自分たちの文明の崩壊に加担することになります」

である。

以上述べてきたように、完成された人格のイメージは、人によって大きく異なる場合があるばかりでなく、〝無限&無限のエネルギー〟および〝宇宙の（絶対的）法則〟とも相違している。しかしながら、私達が（絶対的）法則の上に成り立っている〝無限〟の一部である限り、「完全な人間とは、〝無限（&無限のエネルギー）〟と完全に調和した人間を指す」と私は確信している。それゆえに、本書では、その考え方の下に稿を進める。

V　世間にごく普通に見られる間違った考え方

〝はじめに〟で述べたように、〝無限〟の在り様を土台としてつくられている〝宇宙の（絶対的）法則〟は、〝無限〟およびその属性を理解、意識し、〝無限〟と調和することを志さない限り、理解できないようにつくられているために、私（達）の周りには、〝宇宙の（絶対的）法則〟に反する思いや言動がとても多く認められる。その〝宇宙の（絶対的）法則〟に反する思いや言動の中から、とても重要と思われる誤解をいくつか紹介する。

1 〝憎しみは憎しみを生み、愛は愛をもたらす〟に関する事例

〝憎しみは憎しみを生み、愛は愛をもたらす〟の事例は、とても多い。ここでは、〝無限のエネルギー〟の在り様と全く正反対のエネルギーである、〝憎しみ〟がもたらす所産の怖さを示すために、経済制裁の例と自由および民主化（民主主義）を求めての闘い（抗議運動）の例について触れる。

(1) 経済制裁

重大な国際的ルール違反を犯した国に対して科せられる経済制裁は、罰則を科することによって規約や規則の遵守を求めるのが本来の目的なのであろう。しかしながら、重大なルール違反に対する報復とも映る経済制裁は、〝憎しみは憎しみを生む（窮鼠猫を噛む）〟の典型的な温床となっているように見える。その代表的な事例の一つとして、以下に示す日中戦争から第二次世界大戦へと突入していった大日本帝国（日本）に対する経済制裁を挙げることができる[45]：

１９３９年　第二次世界大戦が始まった年、日中戦争に行き詰まった日本は、資源獲得のため東南アジアへの進出を国策に据える。

１９４１年７月　日本軍は、南進の足掛かりとして仏領インドシナの南部（現在のベトナム南部）に進駐する。

７月　アメリカ合衆国は、在米日本資産を凍結する。

８月　アメリカ合衆国は、日本への石油輸出を全面禁止にする。と同時に、米国は日本に対して、中国およびインドシナからの一切の兵力と警察力の撤収を要求する。

12月　日本軍が真珠湾を奇襲するとともに、マレー半島に上陸する。

以上のように、経済制裁は、私達が期待しているような効果はなく、もたらされた貧困によって憎しみが増大し、経済制裁を主導した国に対する敵対意識や行動となって過激化することがとても多い。

(2) 自由および民主化（民主主義）を求めての闘い

自由や民主化、さらには民主主義を求めての闘い（戦い）は数多くある。ここでは、自由および民主化を求めての運動から、多くの国々を巻き込んでの内戦へと泥沼化していったシリア内戦[46]を取り上げる。

2011年3月　中東の民主化運動である〝アラブの春〟がシリア（シリア・アラブ共和国）にも波及し、独裁打倒を求める市民のデモをアサド政権が武力弾圧したことに始まる。

5月　シリア各地で反体制派の組織化、武装化が始まる。

2012年6月　国際連合の幹部がシリアの情勢を内戦と認定する。

■泥沼化した原因

アサド政権の崩壊が近いと見た欧米や、サウジアラビア王国、トルコ共和国やカタール国などの周辺国は、〝弾圧される市民の保護〟を理由に反体制派を支援した。これに対し、シリアの地中海沿岸に海・空軍の基地を持つロシア連邦と、アサド政権と同盟関係のイラン・イスラム共和国は〝シリアの主権尊重〟を訴えて政権を支援した。そして、内戦の構図をさらに複雑にしたのが、イスラム過激派組織の台頭である。

以上のように、〝民主化や自由のために戦わなければならない（あるいは、自由や民主化のために闘う）〟と言う人もいるが、争いはすべて平和を滅ぼす元である。[9]

2 〝罪を告白することが、正しい方向への第一歩となる〟に関する事例

自らの至らなさ（短所）や間違いに気が付いて、その至らなさや間違いを理に適った方法、すなわち、自らの至らなさを認める、あるいは間違いを訂正（告白）する形で改善していこうとする人は決して多いとは言えない。とても多く見られる例が、〝自らの至らなさや犯した間違いに対して目を瞑る（知らん振りをする）、自分には自分なりの考え方があると居直る、あるいは、自分の行いを正当化する行動をとり続ける〟ことである。本書では、よく見られる至らなさの例として二つ、すなわち、〝嘘を吐くこと〟および〝生き方に対する詭弁〟を紹介する。

(1) 嘘を吐くこと

私達は、自分を価値づけるために、また自己の言動を正当化するために、さらには自らの責任から逃れるために、とっさに、あるいは故意に（意識的に）嘘を吐くことが多々ある。特に、若い時にはその傾向が強く認められる。ところで、仏教では、五戒の一つとして、またユダヤ教では十誡の一つとして、〝嘘を吐くこと〟が戒められている（仏教：〝嘘を吐かない〟、ユダヤ教：〝あなたの隣人に対し、偽りの証言をしてはならない〟）。それにもかかわらず、私達の周りには嘘が溢れており、さらには嘘を吐かなければ（別の言い方をすれば、正直に話をすれば、あるいは正論を吐けば、たとえば融通や気が利かないということで）人から嫌われることもあり、また（一般的に言われている、物質的に豊かでお金に困ることのない幸せな暮らしをするのに必要な地位や名誉を得る）出世も叶わなくなることも多々ある。したがって、私達は嘘（嘘を吐くこと）に対して、かなり寛容である、というよりはかなり無頓着である。そのために、私達の周りには嘘（嘘を吐くこと）に関連する、以下のような誤解や根っからの嘘つきが少なからず見られる：

○（愛する）人を幸せにする（人を救う）ためなら嘘を吐いても許される時がある。

○〝情けは人の為ならず〟ということわざを誤用・悪用し、嘘を吐いた人間を赦す［本当は、嘘を吐いた人間を赦すことは〝情けが仇（好意からしてやったことが、かえって相手に悪い結果を与えることになること)〃」。

参考：人生において重要なことは霊的成長㊼

物的身体に宿っているあなたは、地上生活を尺度として物事を受け止めます。皆さんは何事につけ焦点を間違えております。苦しんでいる人を見て同情し、その痛みを一刻も早く取り除いてあげたいと思う気持ちは、ごく自然な情として私も咎める気持ちは毛頭ありません。しかし、その時のあなたは〝苦しみ〃という観点からのみその人のことを考え、苦しみの中で過ごす時間は、その苦しみの償いとして得られる霊的喜びに比べれば、実に些細なものに過ぎないことにお気づきになりません。

○人に助けてもらうとともに、責任を取ることから逃れるために、〝人は助け合って生きていかなければならない〃や〝人は一人では生きてはいけない〃という教訓を誤用・悪用する。

さらには、

○意識的に自らを価値づけるための嘘を吐く（故意に他人を誹謗中傷するために嘘を吐

く)。

○〝愛と偽善は異なる〟と言いながら、布施や奉仕などに対しての明らかな偽善を平然と行う。

見出しに書いたように、〝罪を告白することが、正しい方向への第一歩となる〟から、以上のような誤解や嘘つき、さらに偽善者が横行する限り、世の中(社会)は正しい方向には進まない。

(2) 生き方に対する詭弁

何かしたいこと、あるいは何か為すべきことがあるが、時間やお金などが無くてその何かができないと思っている、またはそのことができないことの理由としてお金や時間の無さを原因とする弁解を口にする人がいる。残念ながら、その人は明らかに意識の在り方という点において、大きな間違いを犯している。つまり、その何かは時間やお金などが無くてできないわけではなく、すべき事を成し遂げたいという強い思い・願望がないために実現できないだけである。人は、一般に、時間などが無くても自分の為すべきことや、実現したい夢に向かって努力している(向かってより大きな犠牲を払って努力している)時の方が、良い成果(質と量ともに良い結果)が得られている。これが、自制心、寛容さや忍耐力などを培うための見えない力による援助の証しである。さらに、すべての物事は、自分一人で成し遂げているわけではなく、すべて［意識（向上心）の強さや思考内容など］において見えない力によって大きな援助が授けられている。しかしながら、ほとんどすべての人達がこのことについて理解していないばかりでなく、（このことに気が付いていない、さらに、）理解しようともしていない。

③ 〝私達に他人を変える権利はない（私達は同胞の番人ではない）〟（裁く通りに裁かれ、量る通りに量られる）に関する事例

このことに対する誤解は非常に多く見られる。そこで、明らかに気が付いていないであろうと思われる間違いの例をいくつか挙げる。

○人生は自己責任、すなわち、自分の思うこと、言うこと、行うことの責任は自らが取らなければならない、そして、自分より豊かでない（貧しい）隣人、力のない（弱い）隣人や劣っている隣人など、自分より恵まれない隣人を助けて生きていくことを宗とするのが人生の基本である。さらに、私達は、基本的に、人生に起こることで他人を非難する権利はなく、他人に対しては幸せ以外望んではならない［つまり、自分にとって嫌なことが起こるのは、自分自身が人の不幸を望むからであり、本心（心の奥の思い）から他

人の幸福を望むことができれば、自分にとって嫌なことや悪いことは起こらなくなる」。

○私達は、問題を解決する能力、すなわち、事後の問題を解決する力に、力、実力や指導力などを量る基準を求める傾向がとても強い。そのために、自らの実力を示したいと思う時には、〝引き寄せの法則〟が働いて、いつも事後の問題を解決する力で自らの実力が試される。その結果、身の回りにはよく問題が発生する事態を招くことになる（強力なリーダーシップを発揮する指導者を求める傾向がとても強い、現在の日本社会がそうである）。それゆえに、実力や指導力を、事後の問題を解決する力に求めるのではなく、問題が起こらないようにする力、すなわち、事前の先を見通す力に求めると問題の発生する可能性が劇的に減少する。

○よく人それぞれに考え方があると言われる（十人十色）。しかし、この捉え方は正しいとは言えない。実際には、これ（十人十色）は、知性と知識のレベルが人によってそれぞれ異なっていることを意味しているのである。したがって、すべての人の考え方が、それぞれに正しいわけではない。あくまでも正しい考え方は〝宇宙の（絶対的）法則〟であり、この法則に基づいてその人その人に良心が与えられている。それゆえに、その良心に則った考え方が正しいのである（したがって、もし見解の異なる二人がいたとしても、双方が良心に基づいて意見を述べていれば、両者の考え方がともに正しいということが起こるのである）。しかしながら、すべての人には自由が与えられており、したがって各人が思うことには自由があり、その思いが間違っていれば、間違った思いに対しては各人が自らその責任を取らなければならない。いわゆる〝宇宙の（絶対的）法則〟のうちの、〝原因と結果の法則〟である。このことをとても多くの人達が誤解し、自由ばかりを主張し、あるいは自分の正しさばかりを強調し、自らの誤った思いの責任を取ろうとしないばかりでなく、その誤った思いに基づいて物事が起こっていることにも気が付いていない。つまり、悪いのは、間違えている自らの思いと行動に気が付いていない本人であり、そのことを訓えるために、すなわち、その過ちに気付かせ思いと言動を正させるために、自分にとって悪いことが起こっているのである。

参考：〝宇宙の（絶対的）法則〟を無視している限り、その責任は人間自身にある[5]

人間は戦争が起きると、「なぜ神は戦争を中止させないのか」、「なぜ神は戦争が起きないようにしてくれないのか」と言って私達を非難します。しかし、神の摂理（＝〝宇宙の〈絶対的〉法則〟）を自ら無視している限り、その責任は人間自身にあります。自分の行為による結果だけは避けようとする、そういうムシのいい考え方は許されません。神の摂理は、私達も変えることができません。蒔いたタネは、自分で刈り取らなければなりません。高慢、嫉妬、怨恨、貪欲、悪意、不信、猜疑心――こうしたものが実れば、当然のことながら戦争、衝突、仲違いとなります。

Ⅵ　無限（〝無限&無限のエネルギー〟とは何か？）

　世界は今極限に達しているとも思われるような混迷の中にあり、私達人類はその混迷状態の中で暮らしている。そのような混迷状態の中にあっても、ほとんどの人達は、本質的には、世界に生きるすべての人達が平和で幸福に、かつ自由に暮らしている社会・世界を望んでいる。では、一体どうすれば、すべての人達が平和で幸福に、かつ自由に暮らしている社会、さらに、世界を創り出すことができるのであろうか。そこで、「〝無限&無限のエネルギー〟および〝宇宙の（絶対的）法則〟のことを知らなかった時の」私は、偉大な指導者が現れて世界を統治すれば、そのような世界が可能になるのではないだろうかと考えた。そして、その時の私の立場と位置は、統治者になるか、あるいは、それが無理であるならば、私の周りの人達よりはほとんどすべてにおいて（知力においても財力においても）上であることを願い、その知力と財力を世のため人のために使うことを夢見た。その後、〝無限&無限のエネルギー〟および〝宇宙の（絶対的）法則〟について勉強し、ある程度理解が深まってくると、とても高度の知識を豊富に有する非常に知性の優れたスピリット（見えない力）は次の疑問を投げかけた、「その考え方で、世界に暮らすすべての人達が平和で幸福に、かつ自由に暮らしている社会、さらに世界を創造することは無理です。自分の理想の世界を構築するために戦ったアレキサンダー大王やナポレオン・ボナパルトはどうなりましたか？」。見えない力はさらに続けて、

見えない力「もしも他の人達も、あなたと同じようなことを望んだらどうするのですか。その時は争い事（延いては戦争）になるだけなのではないでしょうか」

私「では、どうすれば良いのですか？」（と尋ねた）

見えない力「すべての人が、ただひたすらにすべての人の幸せを願い、ただひたすらにすべてのものを愛すればいいのですよ。難しく考える必要はありません。みんなが隣人に対してそうするだけで、すなわち、すべての人が、ひたすらに隣人の幸せを願い、ひたすらに隣人を愛することができれば、世界に暮らすすべての人が平和で幸福に、かつ自由に暮らしている世界が創り出せるのですよ」（と書物を通して教えてくれた）

私「それ（ただひたすらに人の幸せを願い、ただひたすらに人を愛すること）は、可能なのですか？」

見えない力「可能です。〝無限のエネルギー〟と（より緊密に、さらには、完全に）調和することができれば可能です。その（〝無限〟に遍く瀰漫する）〝無限のエネルギー〟からすべてがつくり出されています。ということは、あなたの

本質は〝無限のエネルギー〟であり、あなたの体も〝無限のエネルギー〟からつくられ、あなたに命を与えているのも〝無限のエネルギー〟なのです」

私「では、どうすれば〝無限のエネルギー〟のことが理解でき、そしてどのようにすれば〝無限のエネルギー〟と調和できるのですか？」

見えない力「簡単に言えば、〝無限&無限のエネルギー〟および〝宇宙の（絶対的）法則〟のことを学び、理解を深め、〝宇宙の（絶対的）法則〟を遵守して生きていけば、可能になるのです。ただし、それは知識の問題ではなく、知性の問題ですので、与えてもらうものではなく、自分自身で苦難・困難という体験を通して学んでいかなければならないのです。本当のことを言えば、それを教えるのが、本来の宗教の役割であり、元々の哲学の目的だったのです」

今述べたように、いわゆる宗教に関する書物には、宗教（・宗派）の種類による多寡および深浅の相違はあるが、〝無限のエネルギー〟の偉大さと素晴らしさが書かれている。たとえば、『新約聖書：「ヨハネによる福音書」』の最初は、以下のように〝無限のエネルギー〟に関する真実の教えから始まる：「初めに、言葉があった。……言葉は神であった。……すべてのものは、この方によって造られた。造られたもので、この方によらずにできたものは1つもない。この方に命があった。この命は人の光であった。……神から遣わされたヨハネという人が現れた。この人は証しのために来た。光について証しするためであり、すべての人が彼によって信じるためである。……この方はもとから世におられ、世はこの方によって造られたのに、世はこの方を知らなかった。この方はご自分の国に来られたのに、ご自分の民は受け入れなかった。しかし、この方を受け入れた人々、すなわち、その名を信じた人々には、神の子供とされる特権をお与えになった。……言葉は人となって、私達の間に住まわれた。私達はこの方の栄光を見た。父の御許から来られた一人子としての栄光である。……律法はモーセによって与えられ、恵と誠はイエス・キリストによって実現した……。未だかつて神を見た者はいない。父の懐におられる一人子の神が、神を説き明かされたのである（「ヨハネによる福音書」第1章1－18節）」となる。

とても残念なことに、「ヨハネによる福音書」の最初は、〝無限のエネルギー〟の呼称の一つであるロゴスやキリスト（＝救世主）および霊（＝聖霊）、さらに人物名が神や〝この方〟という言葉を多用して表現されているため、とても判り難い文章となっている。そこで、前記の言説を、「神とは霊（＝〝無限のエネルギー〟）である」と説くシルバー・バーチの教え・理念[11]に基づいて、〝無限のエネルギー〟の呼称である霊やキリスト、さらに、エロヒム、ヤーウェなどの用語を用いて、宇宙最大の力である〝無限のエネルギー〟の素晴らしさ（偉大な力、機能や役割等）などを、できる限り理解しやすく（簡単な注釈を含む形で）修正すると、次のようになる：「初めに、霊があった。……霊は神であった。……全てのものは、霊によって造られた。造られたもので、霊によらずにできたものは1つもない。霊に命があった。この命は人の光であった。……エロヒム（創造者たち）から遣わされたヨハネという人が現れた。ヨハネは証しのために来た。光について証しするためであり、全ての人がヨハネを通して信じるためである。……キリスト（救世主＝霊＝〝無限のエネルギー〟）は元から世におられ、世はキリストによって造られたのに、世はキリストを知らなかった。イエス・キリストはご自分の国に来られたのに、ご自分の民は受け入れなかった。しかし、イエス・キリストを受け入れた人々、すなわち、その名を信じた人々には、エロヒムの子供とされる特権をお与えになった。……霊（＝キリスト）は人となって、私達の間に住まわれた。私達はイエス・キリストの栄光（人を癒やし、病気を治し、悪霊を退治するなど）を見た。父（ヤーウェ）の御許から来られた一人子としての栄光である。……律法はモーセによって与えられ、恵と誠はイエス・キリストによって実現した……。未だかつて霊を見た者はいない。父（ヤーウェ）の懐におられる一人子のイエス・キリストが、霊を説き明かされたのである（「ヨハネによる福音書」第1章1－18節）」となる。

ところで、以上の私が修正した文章によって、〝無限のエネルギー〟のことが簡単に理解されるとは思われない。そこで、本書では、〝無限〟の理解、説明、およびその重要性を、1哲学、特に ギリシャ哲学、2無限の呼称、3無限の属性、4無限のエネルギー、5無限との調和、6無限と調和することの重要性、7無限および無限のエネルギーを理解することの困難さ、および8テレパシー能力（直感）を重要視した偉大な科学者および哲学者という点から言及する。

1 哲学、特にギリシャ哲学

ソクラテス以前の哲学、特にギリシャ哲学における主要なテーマは〝宇宙の本質とその成り立ちの理解〟にあり、その発展の歴史は、〝無限（無限のエネルギー）〟に関する理解の過程である。アリストテレスによって、万物の根源および原理を求めた最初の人物として、哲学史の発端として位置づけられたタレス[48]は、「水から万物が成立し、そして水へと還っていく。この意味で水は永遠であり、万物の根源である。したがって、水は神でもある（タレスの〝万物の根源としての水〟は、生命なき物質としての水ではなく、万物のうちに遍在し、万物に生命と活動を与える生命原理としての水である）」と述べている。また、ヘラクレイトス[49]は、『すべてはロゴスに従いて生ずる』、『ロゴスに聴きて、ロゴスに従いつつ、すべては一つなりと述べることとこそ賢かりけれ』や『ロゴスは万物の父、万物の王なり』などの言説を残すとともに、ロゴスによる全宇宙の支配の在り方を対立と転化によって説明しようとした。そして、すべては〝一なり〟という真理を説いた」。さらに、エンペドクレス[50]は、「〝自然〟は、地・水・火・風の4元素からなる。そして、主として、4元素を結合させる力である愛と4元素を分離させる力としての憎という、二つの力を中心にして、その二つの力の消長と交代による宇宙論を展開した」。

以上述べたように、タレス、ヘラクレイトス、およびエンペドクレスは、万物の根源とその原理（成り立ち）、すなわち、〝無限〟、あるいは〝無限のエネルギー〟を、それぞれ〝水〟、〝ロゴス〟、および〝土（地）・水・火・空気（風）〟に求めた。しかしながら、タレスやエンペドクレスが万物の根源とした水や土などの言葉は、私達が日常頻繁に使用している単語であるとともに、生命なき存在として捉えられている物質をイメージさせる用語でもある。また、ヘラクレイトスが万物の根源とした〝ロゴス〟は、とても多義的な用語である。それゆえに、彼等の考え方や概念の真意が誤解される可能性がとても高いので、次の〝**2 無限の呼称**〟からは除外し、独立の項とした。

2 無限の呼称

〝無限〟、あるいは〝無限のエネルギー〟に対する呼び名は、種々存在する。たとえば、パルメニデス[51]は〝実在〟、プラトン[52]とアリストテレス[53]は〝イデア〟、プロチノス[54]は〝一者〟、トマス・アクィナス[55]は〝エッセ〟、スピノザ[56]は〝神〟、ライプニッツ[57]は〝モナド〟、カント[58]は〝物自体〟、ヘーゲル[59]は〝(無限）精神〟、また、ヒマラヤ秘教[60]では〝神（・源・真理）〟、仏教[61]では一般に〝無我・空（・五劫・阿弥陀など）〟、蓮如[62]は〝他力〟、キリスト教では〝聖霊・ロゴスなど〟、バラモン教[63]・ヒンドゥー教では〝梵（ブラフマン）・我（アートマン）・プラーナ〟、朱子学[39]では〝気〟、陰陽・五行（説[65]）では〝太極〟、さらに、野口晴哉[66]は〝天心〟、ロバート・フルフォード＆ジーン・ストーン、[8] ジェームズ・アレン[7]やパム・グラウト[3]など最近は多くの人が〝宇宙〟、ディーパック・チョプラ[10]は〝統一場〟と呼んでいる。

3 無限の属性

〝無限（＆無限のエネルギー）〟は、「一において多を表現する[57]」機能を有する。このことを、宇宙の中のあらゆる豊かさの根源である〝無限のエネルギー〟の完璧さおよび絶対性を表す性質と特徴として、次の25の項目に分けて説明しているディーパック・チョプラ[10]に基づいて略述する：

(1) あらゆる自然の法則を生み出す基盤 自然の法則のすべてが統一場の中にある、すなわち、力と知性の場である統一場はあらゆるものを創り出し、あらゆる自然の法則を生み出している。

(2)無限の組織化能力 統一場は、あらゆるものを組織化している。すなわち、銀河系や他の星雲、星々、地球、生物など、創造されたもののすべての動き・循環・リズム等のすべてがオーケストラのように全体と調和している。統一場には無限の組織化する力があり、同時に無数のことを実行しながら、この無数のことを互いに密接に関連させている。

(3)内側はしっかり目覚めている いつも活発に働きしっかり目覚めている、純粋な気づきの場である統一場にきちんと注意を払っていれば、あらゆることが可能になる。

(4)無限の相互関連性 統一場ではどの一つも、他のすべてのものと関連を持っている。

(5)完璧な秩序 秩序の場である統一場では、常に完璧な秩序が保たれている。表面はひどく無秩序に見え、一見、脈絡のない活動や考えに導かれているように思えたとしても、混乱の背後には隠された秩序が存在し働いている。

(6)無限の活力 常に変化し発展していく場である統一場は、静寂であっても、あらゆる可能性を創り出してくれる無限の活力と柔軟性が秘められている。

(7)無限の創造力 平穏で、静寂で、永遠である純粋な自己に戻れば、〝無限の可能性の場〟のレベルから生まれた思考を実現し、至福の状態が味わえる。

(8)純粋な知識 物質を創造する際に働いているあらゆるものに関する純粋な知識は、

存在するあらゆるものの持つ無限の可能性である。

(9) 境界のなさ　統一場では、空間は限りなく、時間もまた限りなく永遠で、無限である。

(10) 完璧なバランス　統一場は、創造する際にはすべてのバランスをとっている。

(11) 自給充足　統一場は必要なものをすべて所有し、内面では何度でも創造が行われる。

(12) あらゆる可能性　自分が想像できることだけでなく、自分の想像の限界を超えているものさえ、実現を繰り返すことで想像力が広がり、常に探求されていない新たな領域が現れて、手に入れることができる。

(13) 無限の沈黙　無限の可能性の場からあらゆるものを創り出すことのできる無限の沈黙の中には、無限の可能性が秘められている。沈黙を守る練習を積めば、合理的な思考でははるかに及ばない、正確でパワーのある沈黙を手に入れることができる。

(14) 調和　あらゆる要素が調和をとりながら、互いに影響しあっている宇宙は、バランスと調和を創り出す力である。

(15) 進化　自然の中のすべてのものが、より良い状態へと進化している。私達は、〝存在〟しているだけでより高い意識状態へと発展しているという真実に気づくことで、より早く進化していくことができる。

(16) 自己照会　自らの内面に戻るだけで、本当の自分を知ることができる。

(17) **無敵**　統一場を破壊することはできない。

(18) **不滅**　無敵であるがゆえに、不滅である。

(19) **姿を見せない**　あらゆるものを創造する源であっても、姿は現さない。

(20) **育てる**　統一場は創造したあらゆるものを養い、育てている。

(21) **結び付ける**　統一場は、すべての活動を育てているだけでなく、一つ一つを他のすべてのものと結び付けている。

(22) **単純さ**　統一場の本性はとても単純であり、それは心の最も奥深くにいる本当の自分自身である。

(23) **清める**　統一場は触れるものすべてを清め、本当の自分に戻す。

(24) **自由**　自由は、統一場に本来備わっている性質である。統一場に触れると自由が私達のもとに訪れ、自分の本来の姿、すなわち、あらゆる創造を駆り立ててくれる、愉快で、執着心のない、不滅の状態を実感することができる。この本当の自由を手に入れると、今という一瞬一瞬の連続の中で、物事を的確に選択できるようになる。

(25) **至福**　統一場の最も重要な性質は、至福である。ただ生きているだけで訳もなく幸せな至福の状態が、人間の本来の姿である。私達は皆かつてこの至福の状態にいたが、今も至福は常に私達とともにある。純粋な至福の状態が、何の見返りも求めず、何ものも否定しない、純粋な愛の在り方である。

となる。以上のように、〝無限（＆無限のエネルギー）〟はとても素晴らしい属性を有し、かつ非常に偉大な機能を果たしている。

4 無限のエネルギー

〝無限のエネルギー〟の在り様については、〝2無限の呼称〟で紹介した哲学者および〝3無限の属性〟を著したディーパック・チョプラ(10)などが説明し、また取り上げた宗教の中でも語られている。ただ残念なことに、それらの説明が決して判りやすいものであるとは言えない。たとえば、ライプニッツ(57)が名付けた〝モナド〟こと、〝無限のエネルギー〟の説明の中に、「一において多を表現する」とある。また、ヘラクレイトス(49)が表現した〝ロゴス〟の説明にも「すべての根源であり、そしてすべては一つ」とある。ところで、この一つであり、かつすべての根源である〝無限のエネルギー〟についてインペレーター(4)は、ライプニッツやヘラクレイトス、さらにはディーパック・チョプラよりはるかに判りやすく、その本質（実体）を次のように説明している：「霊（＝〝無限のエネルギー〟）こそ実在です。物質は、その霊の数ある現象形態の1つにすぎません。……霊とは生命であり、実在であり、永遠不滅の根源的要素なのです。……光といい、熱といい、磁気といい、電気というのも、たった1つの霊的エネルギーの外皮にすぎません。そのすべてに霊が内在しているのです」である。同じことが、〝無限のエネルギー〟の説明自体に対しても言える。そこで、私が知る限り、最も適切に、かつ正確に〝無限のエネルギー〟そのものの在り様を解説しているインペレーター[4]とシルバー・バーチ[11]の説明を、以下に紹介する。

インペレーター　インペレーターは、「神についての真実の概念を述べたいと思います。神は、人間的属性を具えた人格神ではありません。また、神々しい人間神でもありません。神は、全宇宙に瀰漫し、普及する普遍的大霊として存在します。今や人類は、神についてより大きな概念を受け入れる用意ができました。我々は、〝愛〟として顕現している神を説きます。神は、愛、いかなる限界内にも閉じ込められない愛として存在しています。人間神の概念は、かつての人類全体に行き渡っていた偶像崇拝の産物です。これを改めることも、我々の使命の1つです。神は、1個の人格を具えた存在などではありません。神はすべてに浸透し、無始無終に存在し、すべてを導き、すべてを愛されるのです。……神が、人間的影響力によって動かされることなど断じてありません。神は、普遍的法則として働いています。……一方において、我々は神を一種のエネルギーとして片付けんとする致命的な誤りを避けねばなりませんが、他方、神を人間的煩悩と必需品と権力欲とを具えた人間的存在とする擬人説の迷妄にも陥らぬよう注意しなければなりません。原初、人間は自分で勝手な神を作り上げました。……本当の神とは、生命の本質として、全存在に活力を与える〝霊（Spirit）〟です。全存在を美化する光と愛とを供給する始源です。その神の御心に適った生活は、キリストの生涯の中に体現されています。

神は、単なるエネルギーではありません。さりとて人間が大自然と呼んでいる非人格的存在でもありません。……神、すなわち、宇宙に瀰漫する根源的大霊に対しては、〝父なる存在〟という言葉がその正しい概念を伝えております。大自然そのものは神ではありません。その大霊が顕現した相（すがた）にすぎません。身体を構成するものの一顕現にすぎないのです。……これまで〝父なる神〟について、あまりに誤った概念が蔓延っていました。我々が認識している神は、完全にして永遠なる愛の神、過ちを犯した人間も善良な人間も共にその御胸に抱かれ、我が子すべてを等しく思いやりをもって見つめ、民族や土地によって区別することなく、神の御名を唱える者すべてを等しく優しさと愛の念をもって応えて下さいます。もしも人間が、いかに身分の低い者をも、世間でいかに軽蔑されている者をも、慈しみ慰め給う間断なき愛の証し、すなわち、天使の軍勢が神の子等を取り囲んでいる姿を、我々と同じように御覧になることができれば、たとえ一瞬でもその目で光り輝く存在の大軍勢を垣間見ることができれば、誰しもきっと感動を覚え、鑽仰の声を発するに違いないのですが。願わくば、神の御光に感動し、全てを与えたもう神、普遍的愛の神へ向けて、鑽仰の声を発することになってくれればと祈らずにはいられません」と、〝無限のエネルギー〟の本質（実体）をできるだけ私達が理解できるように、とても判りやすく説明している。

シルバー・バーチ　シルバー・バーチは、「あなた方を今日まで導き、これ以後も、より一層大きな霊的回路とするための受容力の拡大に心を砕いてくれている、背後の霊の愛に目を向けて下さい。誕生以来今日までずっとあなたを導いてきた霊が、これ以後もずっと支えとなることでしょう。……こちらから援助に当たる霊の背後には宇宙の大霊、すなわち、神の力が控えております。それは、決して裏切ることはありません。宇宙は、無限・無窮の神的エネルギーによって存在しております。しかし、地上の人間の圧倒的多数は、そのエネルギーの極僅かしか感識しておりません。あなた方人間は、その神の恩寵を存分に受け入れるべく、精神と魂を広く大きく開く方法を学ばねばなりません。それには、信念と信頼心と信仰心と穏やかさと落ち着きを身に付けなければなりません。……宇宙に存在を与えたのは、神の愛です。宇宙が存在し続けるのも、神の愛があればこそです。全宇宙を経綸し、全存在を支配しているのも、神の愛です。その愛の波長に触れた者が、自分の愛する者だけでなく、血縁によって結ばれていない赤の他人へも手を差し伸べんとする同胞愛に燃えます。愛は、自分より不幸な者へ向けて、自然に手を差し伸べさせるものです。全生命の極致であり、全生命の基本であり、全生命の根源であるところの愛は、より一層の表現を求めて人間の一人ひとりを通して地上に流れ込みます。……宇宙の大霊は無限なる愛であり、自己のために何も求めません。進化向上の梯子を登って行けば、己のために何も求めず、何も要求せず、何も欲しがらぬ高級霊の世界に辿り着きます。ただ施すのみの世界です。……愛の最高の表現は己を思わず、報酬を求めず、すべてのものを愛することができることです。その段階に至った時は、神の働きと同じです。なぜなら、自我を完全に滅却しているからです」と、〝無限のエネルギー〟の素晴らしい（聖なる）

属性と偉大な力、さらに、そのエネルギーを感識することの重要性をとても簡潔に教えている。

5 無限との調和

無限とより緊密に調和することを求める真の始まりは、「より完全な（より完璧な）自分を実現したいといつも強く願い、そして常に幸せになりたいという強い思いを抱いている」ことであり、その後にK[67]が述べる基本、すなわち、「関連する知識を集める、知識を理解し意識する、そして実践する」こととなる。そして、そのことのさらなる深化を進めていくうちに、無限とその属性の素晴らしさが徐々に（少しずつ）理解できるようになり、やがて常に意識しているようになる。その際、「神とは、〝無限（&無限のエネルギー）〟である」ことを説くシルバー・バーチ[11]が、踏まえていなければならないと教える次の四つの留意事項を常に念頭に置いていることが強く望まれる：先ず、「驚異的な潜在的神性を意識的に発現させる方法に関して、各種の学説、方法、技術があります。いずれも目指すところは同じで、脳の働きを鎮め、潜在的個性を発現させて、本来の生命力との調和を促進しようというものです。要するに、物的混沌から脱け出させ、霊的静寂の中へと導くことを主眼としておりますが、私は、どれといって特定の方法を説くことには賛成しかねます。各自が自分なりの方法を、自分で見いだしていくべきものだからです【それゆえに、私は、自分なりの方法を自らが見いだしていくという強い思いと信念がなければ、恐らく〝無限〟を理解し、〝無限〟とのより緊密な調和を目指すことは、とても困難であると考えている。さらに、〝とても高度の知識を豊富に有する非常に知性の優れたスピリット（知性の非常に優れたスピリット）〟から評価されるに足るだけの意志と信念を示せば、ある時期からは〝知性の非常に優れたスピリット〟が導いてくれるはずである。すなわち、〝宇宙の（絶対的）法則〟の一つ、〝資格を示してからの（資格があっての）授与〟である】」、次が、「悟りを求め、あるいは霊能を開発せんとして精神統一の訓練を開始すると、先ず最初に出てくるのが心霊的（サイキック）な超能力です。これはその奥の霊的（スピリチュアル）な能力に先駆けて出て来ます」、さらに、「発達にも二つの種類があります。霊そのものの発達と、霊が使用する媒体の発達です。前者は魂そのものの進化であり、後者は単なる心霊的能力の開発に過ぎません。霊的進化を伴わない心霊能力だけの発達では、低い次元のバイブレーションしか出ません。両者が相携えて発達したとき、その人は偉大な霊能者であると同時に、偉大な人物であることになります[5]」、そして最後が、「スピリチュアリズムにおける様々な現象は、それぞれに意義があります。しかし、それは所詮は、注意を引くためのオモチャにすぎません。いつまでもオモチャで遊んでいてはいけません。幼時から大人へと成長しなければなりません。成長すれば、喜ばせ、興味を引くために与えられたオモチャは要らなくなるはずです」である。

ところで、〝驚異的な潜在的神性を意識的に発現させる方法〟としては、六神通（神足通・

他心通・天耳通・宿住通（しゅくじゅうつう）・死生通・漏尽通（ろじんつう）[68]）のうちの他心通と天耳通の能力を鍛える方法、ヨーガや秋山佳胤ら[69]＆稲葉耶季[70]が紹介する方法などが挙げられる。前述したいくつかの基本事項を考慮して、本書においては、六神通と秋山佳胤ら＆稲葉耶季が紹介する方法について進める【行法により解脱を目指す実践であるヨーガは、「肉体の覚醒は、精神の覚醒と結びついている」ことを理解し、〝チャクラの効果的な刺激〟、〝呼吸法〟や〝瞑想〟、さらに、〝食事の量と質〟などを組み合わせた、宇宙（〝無限〟）とのより緊密な調和を求めるとても素晴らしい行法である。しかしながら、ヨーガは、神秘体験、あるいは超越体験の意義が正確に理解されていないために、シルバー・バーチが戒める神秘（超越）体験の過度の価値付けが多く見られ、また、人間の霊能の発達過程が心霊的（サイキック）と霊的（スピリチュアル）の大きく2段階に分けて捉えられることの意味と意義が正確に理解されていないために、〝宇宙の（絶対的）法則〟に反する行いと誤解が多々見られるので、本書での取り扱いは控える】。

　本書においては、先ず、(1)六神通について略述し、次に(2)秋山佳胤ら＆稲葉耶季が紹介する方法について、私なりの留意事項を付記しながら説明していく。

(1)　六神通

神足通（神通）　心が安定し、清浄で純潔となり、汚れなく、小さな煩悩も離れ、柔軟となり、機敏にものに応ずるもの、しかも（それ自らは）堅固な不動のものとなると、様々な超能力（神通）に心を傾け、心を向けます。そして、様々な超能力を体験します。すなわち、一から多になり、また多から一となります。あるいは姿を現したり隠したり、塀や城壁や山の向こう側へ障害もなく、まるで空中を行くように通り抜け、あるいは水中でするように潜ったり浮かび出たり、また、地を行くように、水の上も（水面を）割ることなく歩み、……。

他心通　心が安定し……堅固な不動のものとなると、人は（他人の）心を洞察する知（他心通）に心を傾け、心を向けます。人は他の存在、他の人々の心を、（自分の）心で洞察して知ります。たとえば、憎しみを抱いた心を、憎しみを抱いた心であることを知り、憎しみを離れた心を、憎しみを離れた心であると知ります。寛大な心を、寛大な心であると知り、狭い心を、狭い心であると知ります。

天耳通　心が安定し、……堅固な不動のものとなると、人は神のような耳（天耳通）に心を傾け、心を向けます。人は清浄で、超人間的な神の耳によって、神々と人間との声を聞き、また遠近いずれの音も聞くことができます。

宿住通　心が安定し、……堅固な不動のものとなると、人は過去の生存の境涯を想起する知（宿住通）に心を傾け、心を向けます。人は過去の生存の様々な境涯を想起します。そしてそれは幾多の生成の宇宙期（成劫）、幾多の壊滅の宇宙期（壊劫）、幾多の生成・壊滅を含む宇宙期を（通して）想起します。

死生通　心が安定し……堅固な不動のものとなると、人は生命あるものの死と生に関する知（死生通）に心を傾け、心を向けます。人は清浄で、超人間的な神の眼によって、生命あるものが、いかに死に、またいかに生まれ変わりつつあるかを見て、生命あるものは（すべて）、その行為に応じて、劣ったものともなり、優れたものともなり、美しいもの、醜いもの、幸福なもの、不幸なものになることを知ります。

漏尽通　心が安定し……堅固な不動のものとなると、人は汚れの滅尽に関する知（漏尽通）に心を傾け、心を向けます。人は、「これが苦しみである」、「これが苦しみの原因である」、「これが苦しみの消滅である」、「これが苦しみの消滅に通ずる道である」とあるがままに知ります。このように知り、このように見る人の心は、欲望の汚れからも解放され、生存の汚れからも解放され、無知の汚れからも解放されます。解放された者には、「解放され（解脱を得）た」という自覚が生まれます。そして人は、「再生（の可能性）は断たれた、純潔の修行は完遂された。為すべきことは為され、もはや（再び）この（迷いの）世界に生を受けることはない」と知ります。

以上の六つ、すなわち、神足通、他心通、天耳通、宿住通、死生通、および漏尽通の六つが〝六神通〟と呼ばれる、私達人間が持つ秘められた能力の内容とその発現方法を教える内容の略述である。このように、私達は自分たちの想像をはるかに超える様々な能力を有しているが、〝心が安定し、清浄で純潔となり、汚れなく、小さな煩悩も離れ、柔軟となり、機敏にものに応ずるもの、しかも（それ自らは）堅固な不動のものとなると、〟までの言説のより正確な意味は深遠で、恐らく、〝無限&無限のエネルギー〟のことが理解・実感できなければ、その真意を捉えることはとても困難であろう。ところで、このことに関連して、シルバー・バーチ[5]は、いわゆる超能力［〝六神通〟における〝神足通（神通）〟の一部、〝他心通〟や〝天耳通〟など］がいずれは人類にとっての当たり前の能力になると述べている。しかしながら、シルバー・バーチは、それが人格の向上を意味するものではないことを指摘し、超能力を過度に価値付け、超能力者をすぐに崇めたがる風潮を戒めている。さらに、シルバー・バーチ[11]は、この項の最初の方で示したように、〝心霊的（サイキック）な超能力はオモチャであるから、ある時期からは捨てなければならない〟と諭している。しかしながら、その戒めに逆らってオモチャにすぎない心霊的（サイキック）能力に固執すると、ライフスペースによる事件の首謀者高橋弘二やオウム真理教による一連の事件の首謀者である麻原彰晃のように、〝宇宙の（絶対的）法則〟、特に、〝原因と結果の法則（引き寄せの法則）〟が働いて、自らが自らの首を絞める結果となる。

⑵ 秋山佳胤ら&稲葉耶季が紹介する方法

次に、秋山佳胤[69]ら&稲葉耶季[70]が紹介する方法について説明する。〝無限〟とのとても緊密な調和を求める秋山佳胤ら&稲葉耶季が紹介する以下の方法は、非常に明瞭であり、かつ非常に安全である：

（ⅰ）日々の瞑想
（ⅱ）祈り
（ⅲ）マインドマスタリー（自分で感情を主体的にコントロールする、さらに、自分の意識を書き換える）
（ⅳ）ライトダイエット（食事の量を減らし、野菜中心の食事にする）
（ⅴ）運動
（ⅵ）奉仕
（ⅶ）自然の中で過ごし黙想する
（ⅷ）神聖な音楽・祈りの歌・マントラ（真言）

である。あまりにも簡単な説明なので、以下に私なりに、各項目の基本の在り方や留意すべき事項などについての要点を付記する。

（ⅰ）日々の瞑想

瞑想には、様々な種類がある。しかしながら、この項の最初で紹介したシルバー・バーチ[11]が、「驚異的な潜在的神性を意識的に発現させる方法に関して、各種の学説、方法、技術がありま す。……私は、どれといって特定の方法を説くことには賛成しかねます。各自が自分なりの方法を、自分で見いだしていくべきものだからです」と教えているように、各自が、現在の理に適った目標と知性、あるいはさらに次の一段上の段階の精神性や知性に繋がることを意識した、より適切な瞑想を心掛けるべきである。そこで、本書では、そのことのための参考として、呼吸の大切さと多彩な効能が期待できるヴィパッサナー瞑想の効果を紹介する。

「人は、呼吸した通りの人になる」と教えるロバート・フルフォード&ジーン・ストーン[8]は、呼吸の大切さを次のようにとても判りやすく説明している：「いのちは、呼吸に支配されている。呼吸は、宇宙と繋がる手段である。呼吸がなければ意識もない。ということは、意識的に呼吸を行えば、もっと多くの生命力を、身体の中に入れることができるということを意味している。呼吸は、何よりも大切な生命力の流れを調整し、最大限にするための最善の機会を提供してくれているのである。……一つ呼吸するたびに、人は同時に、次の4つのプロセスを行うことができる。物理的な呼吸（肉体を支え、肉体で活動する機会を与える）・呼吸の型（身体の構造を維持するのを助け、身体のパターンを決定する）・いのちの呼吸・光の呼吸である。……3番目のタイプの呼吸である〝いのちの呼吸〟は、身体にいのちを与える。その呼吸は目の光に現れ、内部から輝くように光っているのがいのちの呼吸である。最後の〝光の呼吸〟は、私が〝魂を養う呼吸〟と呼んでいるものである。身体を流れているエネルギーは、宇宙に遍満するエネルギーの霊的な力の一部であり、一つ呼吸するたびに、それが身体の中に入ってきている。身体全体が十分に機能するには、4つのタイプの呼吸をすべて、きちんとしなければならない。……浅くて不規則な呼吸は、作業効率の低下や、時には、子供の発達遅滞という結果をもたらす。呼吸が浅く、吸った息が横隔膜の下部まで届かないと、血液中の毒素が吐く息に運ばれず、脳に重大な障害をきたしてしまう。脳の働きは、新鮮な血液が、十分に供給されるかどうかにかかっているからである。深くて規則正しい呼吸法を身に付け、何よりも、それを楽しく行っていただきたい。みんなが呼吸を合わせれば、思考においても、存在においても、我々は一つになれるのである」としている。

次に、（一瞬一瞬の有りのままの事実に気づくことによって、諸悪の根源である妄想の世界を捨てていく瞑想である）ヴィパッサナー瞑想の効果を能力開発系、経験事象の変化系、および心の変化系の三つに大別して説明している地橋秀雄[71]による以下のまとめを、瞑想の効果の参考として紹介すると‥

能力開発系　ⓐ頭の回転が速くなる、ⓑ集中力がつく、ⓒ記憶力が良くなる、ⓓ分析力が磨かれる、ⓔ決断力がつく、ⓕ創造性が開発される。

経験事象の変化系　現象の流れが良くなる（トラブルが解消する、人に優しくされる、健康になる）。

心の変化系　ⓐ苦を感じなくなる、ⓑ怒らなくなる、ⓒ不安がなくなる（根本的に解決する）、ⓓ執着しなくなる（静かに達観する）。

である。〝瞑想〟により呼吸の在り方を変えることによって意識を変化させ、是非とも、それらの素晴らしい能力を獲得するとともに、感情の変化を身に付けなければならない。そうすることによって、少しでも〝無限（&無限のエネルギー）〟の在り様に近づき、憎しみを感じることが少なくなると同時に、幸せを感ずることが多くなり、さらには、徐々に人生をより有意義なものにすることができるようになるからである。

(ii) 祈り

「日本人は祈りの意味を知らない」とか、「日本人のしているのは祈りではなく、お願い事である」などと、外国の人から言われることがあることから理解されるように、多くの日本人が祈りの基本を誤解している。そこで、〝無限（&無限のエネルギー）〟との関係における祈りの在り方、さらには、〝宇宙の（絶対的）法則〟との関連における祈りの在り方の基本について、「神とは、〝無限（&無限のエネルギー）〟である」ことを説いている『シルバー・バーチの霊訓』と『インペレーターの霊訓』から、次のとても重要な教えを三つ紹介する：「人のために何とかしてあげたいと思うのは、真摯な魂の表れです。全ての祈り、全ての憧憬は、神へ向けるべきです。ということは、いつも嘆願を並べ立てなさいという意味ではありません。……祈りとは、神と波長を合わせることです。すなわち、私達の意志を神の意志と調和させることであり、神とのつながりをより緊密にすることです。そうすることが、結果的に、私達の生活を高めることになるとの認識に基づいてのことです。意識を高めるということは、それだけ価値判断の水準を高めることになり、かくして自動的にその結果があなた方の生活に表れます。何とかして宇宙の心、宇宙の大中心、宇宙を搾えた神に、先ず自分が一歩でも近づくように、真剣に祈ることです。それから何とかしてあげたいと思っている人がいれば、その方を善意と、是非自分をお役立て下さいという祈りの気持ちで包んであげることです。ですが、それを自分が愛着を覚える人のみに限ることは感心しません。たとえそれが、崇高な動機に発するものであっても、一種の利己主義の色合いを帯びているものだからです。それよりはむしろ全人類のためになる方法で、自分の精神が活用されることを求めることです。ということは、日常生活において自分と交わる人に分け隔てなく、何らかの役に立つということです(2)」、「祈りの目的は、人間の霊と父なる神との緊密な交わりを、求めることにあります。したがって、ただ単に願いごとを口にしたり、決まり文句を繰り返すだけでは何の効果もありません。テープを再生するみたいな陳腐な言葉に、ましてその文句に誠意がこもっておらず、内容に無頓着である場合には、訴える力を持った波動を起こすことはできません。真の祈りには、それなりの効用があります。……祈りは、自分の義務を避けたいと思う臆病者の避難所ではありません。人間として為すべき仕事の代用とはなりません。責任を逃れる手段ではありません。いかなる祈りにもその力はありませんし、絶対的な因果関係を微塵も変えることはできません。人のためという動機、自己の責任と義務を自覚した時に、油然として湧き出るもの以外の祈りは、すべて無視されます。霊的な行為であるが故に、自動的に反応が返ってくるのです。その反応は、必ずしも当人の期待した通りのものではありません。その祈りの行為によって生じたバイブレーションが生み出す、自然な結果です。……その種の祈りとは別に、肉体に宿るが故の宿命的な障壁を克服して、本来の自我を見いだしたいと望む魂の祈りは、必ず叶えられます[6]」、および「真摯にして、積極的な祈念を怠らないで欲しいのです。祈りの実際の威力を知れば、人間はもっともっとそれを活用することになるのでしょうが。……人間が想像するよりはるかに豊かな恵みをもたらす、その機縁となるということです[4]」である。

以上が、〝無限&無限のエネルギー〟の在り様および〝宇宙の（絶対的）法則〟の遵守を前提とした時の、望まれる祈りの在り方とその基本である。是非とも、祈りの重要性を認識・理解し、見返りを期待しない高い意識での、隣人や他人の幸せを願う真の祈りを身に付けるとともに、〝人生の目的を実現する（自己を開花・実現する）〟際の「肉体に宿るが故の宿命的な障壁を克服して、本来の自我を見いだしたいと望む魂の祈りは、必ず叶えられます[6]」は、絶対に肝に銘じなければならない。

（iii）マインドマスタリー（自分で感情を主体的にコントロールする、さらに、自分の意識を書き換える）

とても多くの人達が、自分の感情をコントロールすること（自制心）の重大さを正当に評価していないばかりでなく、自らの思考様式や意識を変えることの難しさについても正確に理解していない。すなわち、多くの人達は比較的簡単に自分を変えられると思っているが、実際はそうではない。そのことを、〝自己コントロール能力（自制心）〟の重要性から説明し、次に〝潜在意識〟と〝潜在意識による思考の支配〟についての言説を紹介することによって、明確にする。

ジェームズ・アレン(9)は、自制心の重要性を次のように教えている：「知恵を得るために、人が真っ先に学ばなければならないことは、自制（自分自身をコントロールすること）です。人生で苦しみを味わうのは、自制を身に付けていないからです。自制なくしては、心の安らぎを手に入れることは不可能です。自制は、天国への扉です。それは人を知恵の光、そして心の安らぎへ導いてくれます。人は自制心を持たないがために、心と魂の両方に計り知れない苦しみを負わせ、言語に尽くしがたい苦悩を経験します。自制心を実践することによってはじめて、苦しみから自由になれるのです。自制心に取って代われるほど強力なものなど何一つありません。この世には、自分自身をコントロールすること以上に、人に貢献するパワーは存在しないのです。……自制がどれほど重要なものか、多くの人は理解していません。また、どれほど必要なものかも、どれほどの精神的自由と幸福をもたらしてくれるものかも、全く気がついていません。このために人は自分の思考の奴隷となり、苦痛や苦しみが絶えないのです。この世に氾濫する暴力、不道徳な行い、病気、苦悩といったもののほとんどが、自制心の欠如から生じています。自制とはまさしく天国の門であり、自制なくしては、幸福や愛や心の平和を実感することも維持することもできません。自制心が欠如すればするほど、心と人生は一層混乱していきます」である。

次に、〝意識を書き換える〟ことの難しさを、〝潜在意識〟と〝潜在意識による思考の支配〟という点から説明する。シルバー・バーチ(5)は、〝潜在意識〟をとても判りやすく次のように説明している：「意識的生活のディレクターであり、個的生活の管理人である精神は、肉体的機能のすべてを意識的に操作しているわけではありません。日常生活において必要な機能の多くは自動的であり、機械的です。筋肉、神経、細胞、繊維等々が一旦意識的指令を受け、さらに連携的に働くことを覚えたら、その後の繰り返し作業は潜在意識に委託されます。たとえば、物を食べるとき皆さんは、無意識のうちに口を開けています。それは、アゴが動く前に、それに関連した神経やエネルギーの相互作用があったことを意味します。すなわち、精神の媒体である脳から神経的刺激が送られ、それから口を開け、物を入れ、そして噛むという一連の操作が行われます。すべてが自動的に行われます。一口ごとに、その操作を意識的に行っているわけではありません。無意識のうちにやっております。潜在意識がやってくれているのです。赤ん坊の時はその一つ一つを意識的にやりながら、記憶していかねばなりませんでした。しかし、今は、いちいち考えないで純粋に機械的に行っております。こうして皆さんの身体上の、そしてかなりの程度まで精神的機能も、大部分が潜在意識に委託されています。潜在意識というのは、言わば顕在意識の地下領域に相当します。……ところが、日常的体験のワク外の問題に直面すると、それは潜在意識が体験したことも、あるいは解決したこともないことですので、そこで新たな意識操作が必要となります。新しい回線を使用することになるからです。しかし、そうした思考を必要とする場合を除いて、人間の日常生活の大部分は潜在意識によって営まれております」である。

さらに、〝潜在意識による思考の支配〟に関して、パム・グラウト[3]は、「人は、５歳になるまでに身に付いた行動パターンによって動いている。脳科学の研究によると、私達の思考の95％は、すでにプログラムされた潜在意識に支配されているという。実際に考えているのではなく、単に〝過去にこう考えたことがある〟という経験を引っ張り出しているだけであるということである。知性を身に付けるよりもはるか前に身体に染み付いてしまった行動パターンを、大人になっても繰り返しているだけなのである。自分の頭で考えたと思っていることも、実は、はるか昔に他人が言っていたことを思い出しただけだったりする。つまり、私達の意識は、５歳になるまでの経験にハイジャックされているということである。ここに、……原因がある。意識はいつでも現実を変える力を持っているのに、これまでの思い込みのせいで、うまく使えなくなっているのである」と説明している。

前述したように、潜在意識を強い思いとその思いに相応しい行動によって徐々に（あるいは、とてもゆっくりと）書き換えていかない限り、自分の感情をコントロールすることも、真の意味で意識を変えることも、とても難しいのである。つまり、〝人生の目的を実現する（自己を開花し実現する）〟ことの重大な意義の一つは、意識の変え方、すなわち、誕生時の条件によって植え付けられた潜在意識を書き換え、新たな望ましい顕在意識を潜在意識化するその方法を体得することにある。そして、もう一つの重大な意義の一つは、そのこと［〝人生の目的を実現する（自己を開花し実現する）〟こと］を通して自制心を身に付けることにあるのである。

（ⅳ）ライトダイエット（食事の量を減らし、野菜中心の食事にする）

ライトダイエットの効果に関しては、宇宙（＝〝無限＆無限のエネルギー〟）を念頭に置いた次の三つの言説を紹介する：先ず、〝食事の量を減らす〟ことに関して、「『腹八分に医者いらず』、『腹六分で老いを忘れる』、これは、〝宇宙〟と〝生命〟・〝人間〟を繋ぐ思想であるヨガの教えです。ヨガの教訓は、さらに『腹四分で神に近づく』と続きます。……人は自らが〝宇宙〟の一部であることを感得したとき、〝悟り〟を開くとされています。つまり、ヨガの理想は、宇宙の真理にしたがって生きるということです。カロリー制限をすることで、宇宙の実在（神仏）に近づくというのです[72]」、そして次が、〝野菜中心の食事にする〟ことに関する、「牛や豚やニワトリなど肉や魚を食べると、……その動物の性質や感情の波動が、食べた人のオーラに被さるのです。まとうのは、動物たちの感情の波動だけではありません。屠殺される時のオーラ的な傷も、まといます。……ベジタリアンの人々を霊視すると、魂の光が強く、オーラに怒りや恐れや執着といった自我意識がとても少ないのです。魂の中に恐れ、執着や欲望が少なく、その代わりに愛、調和や感謝が太いのです。……とても心が静かで穏やかになり、この心の平安と体の軽さは、何ものにも代えられません[73]」、さらに、〝小食と野菜中心の食事〟の推奨に関する、「食ですが、身体が欲しているものを必要最小限いただくことです。現代人は飽食過ぎてゴミ箱みたいな体になっており、体が何を欲しているのかが判らなくなっています。脳ではなく、体で何を欲しているかを感じ取れるようになって下さい。少しずつ小食にしていくと、感覚が鋭敏になり、体が欲しているもの、必要な量が判るようになります。今の日本には世界中のあらゆる美味が揃い、地球の裏側からもカネに任せて買い集め、世界にはその日の食料にも飢えている人々がいるというのに、多いと言っては食べ残し、賞味期限が過ぎたと言っては捨てています。こんな生活が、許されるわけはありません。もうこの辺で目覚めねばなりません。……私は、若い時は肉も食べました。昔から修行僧は精進料理を食べておりますが、修行していくとそうなることが良くわかります。霊的には、ほとんどの動物の肉は食べてはいけません。一年に数回位でも良いのです。……できるだけ少ない食事量で生きられるように、飽食から小食へと体を変えていかねばなりません。宇宙エネルギーを取り入れられる人は、その分だけ食べる量が減ってきます。……宇宙エネルギーと地球からのエネルギーのバランスが取れると、最終的には食べる必要がなくなります。これからは宇宙エネルギーの取り込みを増やして、小食にしていかねばなりません[74]」である。

人生において最も重要なことは、〝無限&無限のエネルギー〟と（完全に調和することを目指して）より緊密に調和し、〝宇宙の（絶対的）法則〟を遵守して生きていくことである。その意味は、〝真の健康とは精神の健全さのこと、すなわち憎しみを無くし、愛に生きる〟ということである。その意味において、〝食の量と質を考える〟ことはとても重要であり、最初のとても重要な理に適った人生の目的の実現後は、絶対に取り組まねばならない課題である［ただし、〝食の質と量を考える〟を自己実現（のかなり）以前から取り組むと、その意味と価値づけをする所在が誤解され、手段が目的となっている場合がある。意識の低い菜食主義は、慎まなければならない］。

（v）運動

運動の重要性に関しては、本書で取り上げるまでもなく、ほとんどすべての人達が正確に認識していると考えられる。なぜなら、運動の重要性と実際の方法に関しては、書籍や論文などを含むとても多くの知見が、多数出版・宣伝されているからである。そこで、本書では、肉体の覚醒が精神の覚醒と連動していることを教える、次のとても重要で、かつ興味深い言説を二つ紹介する：「精神を覚醒させなさい。しかし同時に、肉体をも覚醒させなさい。肉体の覚醒は、精神の覚醒と結びついているからです。肉体を眠らせようとする人は、精神をも眠らせている人です[1]」および「従来言われている運動の効能の他に、素晴らしいことがあります。体を動かす、振動させることは松果体の奥にある霊中枢を刺激し、高次元意識覚醒の助けになるのです。汗だけでなく、運動の喜びと悲しみは魂の自覚を促す糧となります。魂がしっかりしてきます。魂の成長には運動が必要なのです。運動している人ほど、高次元意識の覚醒が早いのです。……自然の中で友達と遊び、運動することが、体を作るばかりでなく、前頭葉を刺激し、魂の成長には必須のことなのです。これからは、次元上昇のための運動として下さい。呼吸を深くし、酸素を多く取り、取り込んだ酸素を脳に回して活性化させるのが良いのです[74]」である。

この〝運動〟において特に重要なこと（肝に銘ずべきこと）は、〝肉体の覚醒は、精神の覚醒と結びついている〟ことである。すなわち、俗に言われる〝運動に向いている〟、あるいは〝勉強に向いている〟という適性は、ある意味でその人の人生の入り口である、最初のとても重要な理に適った人生の目的を実現する（自己を開花・実現する）際の、叩くべき扉にしか過ぎないということである。たとえば、ある人（特に、15歳前後の子供）が自分は運動に向いていると思って、最初の重要な理に適った人生の目的を運動を通じて実現したとする。その後に、その人が一生懸命勉強し知識を蓄積した場合、知識と知性に溢れるその人なりの考えを持った真の人格者に成長していくことが多々ある（ちなみに、〝運動に向いている〟、あるいは〝勉強に向いている〟という適性は、顔に表れる、特に若い時にはかなり明瞭に顔に表れていることが多い）。ここで理解すべきことは、運動に向いていると思っている人も、自己実現後は、本人の志向と努力次第で勉強にも向くようになるということである。つまり、人は、理に適った形で人格を完成させていくと、肉体と精神の両方が覚醒されるようにつくられているのである。

(vi) 奉仕

知性を飛躍的に向上させ、世界に平和をもたらす。そうするための〝奉仕〟、すなわち、〝無限&無限のエネルギー〟とのより緊密な調和を目指し、〝宇宙の(絶対的)法則〟を遵守する〝奉仕〟の在り方の基本は、〝陰徳〟である。その陰徳の形式の〝奉仕〟の最も適切な在り方を教える例が、『新約聖書：「マタイによる福音書」』における以下の〝山上の垂訓〟の中に示されている：「人に見せるために人前で善行をしないように気をつけなさい。そうでないと、天におられるあなた方の父から、報いが受けられません。だから、施しをするときには、人に褒められたくて会堂や通りで施しをする偽善者たちのように、自分の前でラッパを吹いてはいけません。誠に、あなた方に告げます。彼等はすでに自分の報いを受け取っているのです。あなたは、施しをするとき、右の手のしていることを左の手に知られないようにしなさい。あなたの施しが隠れているためです。そうすれば、隠れた所で見ておられるあなたの父が、あなたに報いて下さいます。……自分の宝を地上に蓄えるのはやめなさい。……自分の宝は、天に蓄えなさい。……あなたの宝のある所に、あなたの心もあるからです。……誰も、二人の主人に仕えることはできません。一方を憎んで他方を愛したり、一方を重んじて他方を軽んじたりするからです。あなた方は、神にも仕え、また富にも仕えるということはできません（第6章1－4、19－21、＆24節）」である。

〝人格の完成〟を目指すことによって、すなわち、〝無限（＆無限のエネルギー）〟とのより緊密な調和および〝宇宙の（絶対的）法則〟の遵守を目指すことによって、世界に平和をもたらそうとする人は、この陰徳の形の〝奉仕〟を念頭において、奉仕に励むことが重要である。

(vii) 自然の中で過ごし黙想する

〝自然の中で過ごし黙想する〟ことの効果に対しては、次の言説を紹介する：「〝道〟を得たいと望むほどの者は、世間を離れた誰もいない所へ出掛けて、そこに座ることが必要である。息を吸って、吐いているうちに、呼吸の動きがはっきりわかるようになる。長い息、短い息を、正確に知るようになる。そして、心に現れる様々な形を、それに執着することなく観察し、つぶさにそれを意識するのである。息を止めている時も、止めていない時も、現れてくる形を観察し続け、つぶさにそれを意識するのである。どんな形が現れてこようとも、それを外側から見つめ、内側から見つめるのである。このように形を観察し、瞑想を続けると、喜びを感じるようになる。奇妙な思考が湧いてきても、それに執着してはならない。欲望のない心を持って、正しい〝道〟に従って生きることは、この世にあっては、希なる真珠のようなものである。……このようにして自分の心を整えようとする者は、何の像も映らなくなった、汚れた鏡を持っている人に似ている。その人が鏡を磨くと汚れがとれて、その途端にはっきりと物事が映るようになる。貪欲と怒りと愚かさを遠ざけた者は、よく磨かれた鏡に似ている。そうして、彼は注意深く、次のように瞑想するのである。『空の下にあって、変化しないものはなく、何ものも永続することはない』[75]」である。

この取り組みは他の取り組みに比較して、すぐに効果を実感できる取り組みである。是非とも、〝自然の豊かな場所に出掛けてゆっくりと呼吸し、自分の内面を見つめるように心掛ける〟ことをすぐにでも試行することが望まれる。前向きで、穏やかで、建設的な自分を発見、そして自覚できるようになるはずである。

(ⅷ) 神聖な音楽・祈りの歌・マントラ (真言)

〝神聖な音楽・祈りの歌・マントラ (真言)〟の効果の基本は、意識をいつも、とても精神の波動の周波数の高い存在である創造者たちや〝無限〟に向けていることにある。このことに関しては、次の桜井識子[76]の言説がとても参考になる：「一番効果がある方法が、『神仏にたくさん話しかける』ことです。神仏にしゃべりかけると、対象である神仏に意識を置くことになるのです。ちょっとしか話さなければ、神仏に置いた意識はすぐに自分に戻ってしまいます。しかし、ひっきりなしにしゃべり続けると、意識を神仏の上に置いたままになります。……見えなくても聞こえなくても、こうすることによって意識を高次の神仏に置いているのです。神仏とコンタクトを取るのは、この〝意識を神仏に置く〟ということが重要です。〝神仏〟だけに意識を置いていなければ、しっかりしたお話はできません。……集中さえすればいいのかと思っていましたが、それだけではコンタクトは難しいのです」である。

ところで、この〝神聖な音楽・祈りの歌・マントラ（真言）〟を実践すると、歩きながら、電車などでの通勤・通学中に、あるいは物事の合間の時間を潰すために、スマートフォン等でゲームに興じることとの真の怖さ（の一つ）、すなわち、「〝思考から離れた無の状態〟、特に悪い波動が入り込む可能性が生ずる〝自らの思考がない無の状態〟が長く続く時、〝無限＆無限のエネルギー〟の在り様と逆の状態である〝憎しみ（特に、利己的・自分勝手な感情）〟が増えていくこと[77]」が理解、実感できるようになる。その結果、今まで以上に意識を大切にし、特に、先ず〝とても高度の知識を豊富に有する非常に優れた知性を有するスピリット〟との繋がりをより強固なものとする意識が強くなり、さらに、その次には、最も重要な意識である〝無限＆無限のエネルギー〟とのより緊密な調和を目指すようになる。

6 無限と調和することの重要性

〝無限（＆無限のエネルギー）〟と調和すること［＝〝宇宙の（絶対的）法則〟を遵守すること］は、〝人格の完成を目指す〟際ばかりでなく、すべての人が平和で幸福に、かつ自由に暮らしている社会、さらに、世界を構築していく上においても、とても重要な事項である。そこで本書では、〝無限（&無限のエネルギー）〟と調和することの重要性を〝人格の完成を目指す〟際と〝すべての人が平和で幸福に、かつ自由に暮らしている世界を構築していく〟際の二つに分けて、適切な言説を紹介していく。

人格の完成を目指す　〝無限〟ととても緊密に調和することによって得られる利益（りやく）を、大谷暢順[62]は『教行信証』を引用し、以下のように紹介している（ただし、一部省略する）：

1. 目に見えない……などの諸天神が常に守って下さる
2. この上ない功徳が身についてくる
3. 悪いことが善いことに転換される（転悪成善の益）
4. 阿弥陀仏、……などの諸仏が、そろって信心がなくならないように守って下さる（諸仏護念の益）
5. ……などの諸仏が、褒め称えて下さる
6. 阿弥陀仏の光明に包まれて、常に守っていただける
7. 心が喜びで一杯になる（心多歓喜の益）
8. 喜びを与えて下さった（仏の）慈悲に対して、恩返しをしたいと思わずにいられなく

なる

9．自分と同じように他の人達も信心が得られるよう、お手伝いさせていただくことができる

10．……極楽浄土へ往生できる〝正定聚〟の仲間に入ることができる

である。

すべての人が平和で幸福に、かつ自由に暮らしている世界を構築していく　世界は今、アジア（特に、中東）、アフリカや南アメリカなどにおける貧困および（内戦や戦争などの）紛争の多さとその拡大から理解されるように、非常に危機的な状況にある。ところで、私は、そのような状況を解決し、地球に生きるすべての人達が平和で幸福に、かつ自由に暮らしている世界を創り出すための、最大にして唯一の方法が、〝無限〟と調和し人格を完成させること［換言すると、〝宇宙の（絶対的）法則〟に基づいて人格の完成を目指すこと］であると確信している。その〝無限〟とのより緊密な調和による人格の完成の重要性に関して、シルバー・バーチは以下のような私（達）の知識と知性と説明能力をはるかに超えた教え方をしている‥「〝個〟が集まって、地上人類全体が出来上がっているのです。一人でも多くの〝個〟が貪欲と強欲と残虐と横暴を止めれば、その数だけ平和に貢献するのです。それが摂理なのです。……

人間の協力を得て初めて霊力を地上に届け、戦争や暴力行為、その他、地上の文明を混乱させ、存在を脅かすものすべてに終止符を打たせることができるのです。しかし、これより先もまだまだ地上から戦火の消えることはないでしょう。なぜなら、人類全体が一つの巨大な霊的家族であるという、この単純な真理が未だに理解されていないからです。肉体は撃ち殺せても、霊は死なないのです。この事実が世界各国の国政をあずかる人達によって理解され、その関連分野を通じて実行に移されるようにならない限り、戦争の勃発は避けられないでしょう[16]」、「私達は、霊が生命を吹き込んでくれたおかげで、共通の絆を与えられているのです。そのことによって、全世界の神の子が、根源において結ばれていることになるからです。……この崇高な事実こそ、私達が啓示せんとしている真理です。あらゆる物的差違、あらゆる障害、あらゆる障壁を超えるものです。肌の色の違い、言語の違い、国家の違いを超越するものです。物的存在の表面の内側に、断とうにも断つことのできない同胞性で全人類を結び付けている共通の霊的属性があることを教えております。今の地上世界には、是非ともこの真理が必要です。この理解さえ行き渡れば、戦争は無くなります。世界中ではびこり過ぎている、利己主義と貪欲と既得の権利が撲滅されます。人間の唯一の、そして真の尊厳、すなわち霊性が、今あまりにもはびこっている低俗な物的価値基準に対する優位を発揮するようになります。その理解が行き渡るにつれて、無限の豊かさと輝きと崇高さと愛と指導力と治癒力とを秘めた霊の力がそれだけ多く発揮され、これまであまりにも永い間支配して、混乱と災禍をもたらしてきた無知と偏見と迷信を駆逐していくことでしょう[44]」、および「この世には、大自然の摂理しか存在しません。一個人であろうと、大勢であろうと、民族全体であろうと国民全体であろうと――摂理に反したことをすれば、必ずそれなりのツケが回ってきます。その摂理の働きは完璧です。……宇宙には、自然の法則、神の摂理しか存在しません。ですから、その摂理に順応して生きることが何よりも大切であることを人類が悟るまでは、地上に混乱と挫折と災害と破滅が絶えないことでしょう。……その霊的な重要性に目覚めれば、戦争と流血による革命よりはるかに強烈な革命が、地上世界にもたらされるからです。それは魂の革命です。……私達が忠誠を捧げるのは、宇宙の大霊、すなわち、神とその永遠不変の摂理です[5]」である。

7 無限および無限のエネルギーを理解することの困難さ

〝無限＆無限のエネルギー〟の実体を理解することは、決して簡単なことではない。その理由は、モーゼス[4,78]が伝える、「地上の人間で直接神（＝〝無限＆無限のエネルギー〟）に近づける者は一人もいません。その中継者として、神は天使を遣わします[4]」や「隠しておくのが賢明と考えられているもの［〝無限＆無限のエネルギー〟や〝宇宙の（絶対的）法則〟など］を、我々（とても高度の知識を豊富に有する知性の非常に優れたスピリット）が勝手に教えるわけにもいかない。知識を押しつけることも出来ない。提供することしか許されないのである。これを喜んで受け入れる者を保護し、導き、鍛え、将来の進歩のために備えさせることのみ許されるのである[4]」、さらに、「我等が知る所の神の愛は無限、しかもすべてに対して一視同仁である所の、正義の神である。そして神と人との中間には、多くの守護の天使たちが存在し、それ等が神の限りなき愛、神の遠大なる意志の直接の行使者となるのである。此等の行使者があるから、そこに一分一厘の誤差も生じないのである。神は一切の中心であっても、決して直接の行動者ではないのである[78]」に帰着する。つまり、〝無限&無限のエネルギー〟を理解することが決して簡単ではない理由は、主に、

①〝無限&無限のエネルギー〟の理解に、種々の段階（深浅）の見解が混在する知識としての難しさ
②我々の理解と想像を超えた世界を把握することの困難さ
③知識の増加と蓄積に伴って起こる世間の常識との乖離

などによると考えられる。

中でも、③の世間の常識との乖離による影響はとても深刻で、〝無限&無限のエネルギー〟を理解する上でのとても大きな障害となる、より正確には、とても高度の知識を豊富に有する非常に知性の優れたスピリット（知性の非常に優れたスピリット）からの援助が、授けられる

か授けられないかの重大な問題に発展する事項である。そこで以下に、このことに関してより詳細に言及していく。この項の冒頭で紹介したモーゼス[4,78]の言説が理解できるかどうかは、より正確には、モーゼスの言説を受け入れられるか、あるいは、受け入れられないかは、基本的に人生における生き方の問題である。そして、モーゼスの言説が受け入れられる、すなわち、知性の非常に優れたスピリットからの援助が授けられる、彼等が望む人生の在り方[4]とは、以下の通りである：

「我々にとっての最大の難事は、進化した高級霊からの通信を受け取るに相応しい霊媒を見いだすことです。そうした霊媒は、

まず、○精神が受容性に富んでいなければなりません。

次に、○愚かな地上的偏見に囚われぬ者でなければなりません。

○若い時代の誤った思想を潔く捨て去り、たとえ世間に受け入れられないものでも、真理は真理として素直に受け入れる精神の持ち主でなければなりません。

○この世的思想から抜け出せないようではいけません。

○独断と派閥と偏狭な教義から解放されなければなりません。

○己の無知に気づかない、一知半解の弊に陥ってはなりません。

○常に囚われのない探求心に燃える魂であらねばなりません。

○進歩性のある知識に憧れる者、洞察力に富む者であらねばなりません。

○常により多き真理の光、より豊かな知識を求める者であらねばなりません。要するに、真理の吸収に飽くことを知らぬ者でなければならないのです。

我々が求めるのは、

◎有能にして真摯、そして飽くことなき探求心に燃えた無欲の心の持ち主でなければならないのです。

そのような人材の発見は、至難の業であり、まず不可能に近いのです。されば我々は、見いだし得る限りの最高の人材を、着実に鍛錬した上で採用します。まず、

※その魂に愛の精神を吹き込み、同時に、己の知的性向にそぐわぬ思想に対する寛容心を養います。また、

※真理への完全な忠誠心と、恐怖心も不安も宿さぬ信念を、我々による教化によって着実に培っていくのです。我々は神とその使者たる指導霊への全幅の信頼へ向けて、霊媒を導いていきます。

それでもなお我々は、人間のあらゆる利己心を払拭しなければなりません。我々の仕事には、私心の出しゃばりは許されないのです。さもないと、我々は何も為し得ません。

×(霊界からの指導にとって、)人間の身勝手、自己満足、自慢、高慢、自惚れほど致命的なものはありません。

×小知を働かせてはなりません(我々からの知的働きかけの妨げとなるからです)。

×独断主義に偏った知性は、使用しようにも使いものになりません。ましてそれが高慢と自惚れに満ちていれば、我々には近づくことすら出来ません。

我々が求める人材とは、

◎愛に溢れ、誠実にして己を出さず、しかも真理を素直に受け入れる、一切の地上的打算を忘れた性格です。

☆平静にして、しかも誠実、かつ一途な哲学者の心を心とされよ。

☆愛に溢れ、寛容性に富み、いついかなる時も進んで救いの手を差し伸べる博愛主義者の心を心とされよ。

☆報酬を求めぬ神の僕としての無欲の心を心とされよ。

神聖にして崇高なる仕事は、そのような心の持ち主をおいて他に成就し得る者はいない。我々もそうした人材を油断なく見守り、警戒を怠らぬであろう。神より遣わされた天使も笑みを浮かべて見つめ、外敵より保護してくれることであろう」である。

以上紹介してきたように、モーゼス[4,78]が伝えるインペレーターの教えと要望は、世間の常識との乖離が生じやすい。その結果、（インペレーターの要望と教えを受け入れたら、）世間から軽蔑され嘲笑されるのではないだろうか、さらには、社会的な信用を失うのではないだろうかという恐怖を生じさせる。それゆえに、〝無限＆無限のエネルギー〟に対する理解の深化は、主にその恐怖を払拭できるかどうかにかかっていると言っても過言ではない。そこで、このことを如実に示す証しとして、〝無限のエネルギー〟の属性の中でも最も根源的、すなわち、最も重要な本質について、とても正確に表現されている以下の二つの言説を紹介する：

①Ⅵの〝1哲学、特にギリシャ哲学〟の項で触れたように、アリストテレスによって万物の根源とその原理を求めた最初の人物とされたタレスは[48]、「〝水〟から万物が成立し、そして〝水〟へと還っていく。この意味で〝水〟は永遠であり、万物の根源である。したがって、〝水〟は神でもある。このように、万物のうちに遍在する〝水〟は、万物に生命と活動を与える生命原理として機能する」と述べている。

②次は、この章の最初のところで紹介した、「ヨハネによる福音書」の冒頭部分に相当する以下の言説である：「初めに、〝言葉〟があった。……すべてのものは、〝この方〟によって造られた。造られたもので、〝この方〟によらずにできたものは1つもない。〝この方〟に命があった。この命は人の光であった。……すべての人を照らすその真の光が、世に来ようとしていた。〝この方〟はもとから世におられ、世は〝この方〟によって造られたのに、世は〝この方〟を知らなかった（「ヨハネによる福音書」第1章1・3・4・9・10節）」である。

①においては〝水〟を〝無限のエネルギー〟に、そして②においては〝言葉〟および〝この

方〟を〝無限のエネルギー〟に置き換えると、〝無限＆無限のエネルギー〟の素晴らしい本質と属性およびその重要性が、理解できるはずである。しかしながら、この私の見解を支持する人はどのくらいおられるであろう。私が主張（強調）したいのは、〝無限＆無限のエネルギー〟を理解することは、前述の③の理由によって決して簡単ではないということである。

8 テレパシー能力（直感）を重要視した偉大な科学者および哲学者

現在の私達のほとんどが、人類の発展に多大の貢献をしているとして価値づけている科学と科学者の在り様を、〝無限＆無限のエネルギー〟および〝宇宙の（絶対的）法則〟という観点から評価した場合、現在の科学（科学論文を含む）と科学者の在り方には、真理および真実を明らかにしていこうとする素晴らしい側面と、その優れた側面をはるかに凌駕する問題点や短所がある。その問題点や短所とは、科学の発展を支え機能させていくべき人間が示さなければならない知性のレベルの高さの重要さを理解しようとしないこと、および知性と科学における培い方の相違を明確に認識しようとしないこと（体質）である。そして、その体質と知性の不足が原因となって、科学者が悪弊としての物質主義および利己主義と結び付き、さらには経済（企業）と密接に結びついて、拝金主義を加速している権威主義の下で物質主義と利己主義を増大させている。

ところで、本来、科学と知性は車の両輪の関係にあり、その知性の顕現の一つである直感（＝〝テレパシー能力〟＝〝天耳通〟）をとても大切にした科学者や哲学者は、少なからず存在する。たとえば、とても有名な例としては、「科学の研究に情熱を傾けた者なら誰でも、宇宙の法則の中に〝スピリット〟の存在を確信するようになる――人間のスピリットよりはるかに高い次元にある〝スピリット〟である」[3]と述べ、神（〝非常に高い次元のスピリット〟&〝宇宙の法則〟）の考え方を最重要視したアルベルト・アインシュタインや、オカルトや超自然的なものにとても強い関心を示し、「自分の発明は自分の頭で発明したものではなく、自分自身は自然界のメッセージの受信機で、〝宇宙という大きな存在からメッセージを受け取って、それを記録することで発明としていたに過ぎない〟」と明かしているトーマス・エジソン[35]が挙げられる。ちなみに、エジソンの後半生、特に会社経営を退いてからのエジソンが、死者と交信する電信装置（spirit phone）の研究に没頭していたこと、およびその実験によって研究所を火事で全焼させたことは、かなり有名な話である。

さらに、アインシュタインやエジソン以外の、〝天耳通〟、あるいはテレパシー能力の一種である直感を重要視した、とても有名な偉大な科学者や哲学者としては‥

ピタゴラス[79]　日本では数学者として著名なピタゴラスは、16世紀までは、魔術師やカバラ（ユダヤ教の一連の秘教的教理）の父として引証されることもあった。

ソクラテス(80)　ソクラテスは、神の存在は、夢、予兆や神託などによっても理解されるとした、とても直感力（テレパシー能力）の優れた人間であった。プラトンによれば、〝ダイモン（神霊の合図）〟は年少の頃からしばしば訪れていたという。

フローレンス・ナイチンゲール(81)　17歳の時、フローレンス・ナイチンゲールは「世の中のために奉仕しなさい」という神の啓示を聞いた。

ニコラ・テスラ(82)　霊感の発明家とされるニコラ・テスラによる交流システム、トランスミッションシステムや蛍光灯などの発明のおかげで、電気の時代がもたらされた。テスラは子供の頃から、強烈な閃光を伴うこともあった異常に鮮明な幻影に悩まされ続けた。しかしながら、テスラはその幻影を具現化することに解決策を見いだし、そのことによってテスラはとても偉大な発明家となった。

などを挙げることができる。

VII 宇宙の（絶対的）法則

〝**はじめに**〟で述べたように、私達が暮らし理解している世界である地球や宇宙、および私達の理解や想像を超えた世界のある地球、宇宙や〝無限〟は、完璧につくられた秩序、すなわち、絶対的法則の上に成り立っている。[4,5] そして、その〝宇宙の（絶対的）法則〟はとても数多く存在し、しかも細部に至るまで完璧につくり上げられている。[6] しかしながら、そのことを、私を含むほとんどすべての人達が認識できないでいる。なぜなら、〝無限&無限のエネルギー〟の在り様を土台としてつくられている〝宇宙の（絶対的）法則〟は、〝無限&無限のエネルギー〟およびその属性を理解、意識し、〝無限&無限のエネルギー〟と調和することを志さない限り、理解できないようにつくられているからである。[4,7] その〝無限&無限のエネルギー〟と同様に理解することが困難な〝宇宙の（絶対的）法則〟を、本書においては、1宇宙の（絶対的）法則の特徴と理解することの困難さ、2宇宙の（絶対的）法則の重要性、3摂理と基本的法則、4「マタイによる福音書」、特に〝山上の垂訓〟に見られる重要な法則、5より深遠な法則、6宇宙の（絶対的）法則の理解を困難にしている要因、および7宇宙の（絶対的）法則の重要性を理解できなかった時の人類の未来の七つに分けて進める。

1 宇宙の（絶対的）法則の特徴と理解することの困難さ

岩井弘融(40)は、科学と法則を、「経験的実在に関し、客観的・組織的に体系化された法則的知識である科学は、事象の斉一的な関係、恒常的な関連を表す普遍的な命題である法則を用いて説明される」のように定義し、法則の型を、最も基本的で普及性の広い種類的法則、事象の連続的な依存関係を表す因果法則と発展的（歴史的）法則、事象の生起を統計的に扱う統計的法則、および事象の生起の仕方を関数的依存関係として表す関数的法則の四つの型に分けている。ところで、私達は、小学校、中学校、および高等学校時代の教育（特に、理科、生物、化学や物理など）を通じて、リービッヒの最小律やメンデルの法則などの統計的法則や、音の速さ、落下の法則やボイル・シャルルの法則などの関数的法則を、法則として多く学んできている。そのために、〝法則とは〟の命題の在り方に関する認識として、統計的法則や関数的法則に見られる物質の変化の様式を、法則の在り方の基本とみなす傾向がとても強い。しかしながら、私達が認識できる〝宇宙の（絶対的）法則〟における基本的法則のほとんどは、〝偽りの証言をしてはならない〟や〝卜占をしてはならない〟のような〝〜をしてはならない〟という永遠不変の規則（戒律）や、〝蒔いた種は自分で刈り取らねばならない〟、〝生きるということは、進化することである〟、〝罪を告白することが、正しい方向への第一歩となる〟、〝憎しみは憎しみを生み、愛は愛をもたらす〟や〝知識には、それを実行する責任が伴うと同時に、広める義務を持つ〟などのような、因果法則（原因と結果の法則）および精神性・知性を高めるべく意図された永遠不変の摂理である。

ところで、この章の冒頭で述べたように、規則（戒律）および基本的な法則を始めとして、〝宇宙の（絶対的）法則〟は〝無限＆無限のエネルギー〟の在り様を土台として構築されている。そのために、私達が認識し理解できる精神性および知性の向上に資するための基本的法則［特に、精神に関する法則、延いては、〝宇宙の（絶対的）法則〟］は、私達が中学校や高校を通して学んだ法則とは異なった様式で現れてくる。すなわち、〝宇宙の（絶対的）法則〟は、〝無限のエネルギー〟のことを理解し、意識し、さらに〝無限＆無限のエネルギー〟と調和することを志さない限り理解できないようにつくられているために、ジェームズ・アレン(7)が述べているように、「自然界の中で法則が機能していることは、誰もが知っています。でも、それ［〝宇宙の（絶対的）法則〟、特に〝原因と結果の法則〟］が、個人の人生の中でも全く同じように機能しているという事実を認識している人は、とても少数です」となる。この理由をシルバー・バーチ(47)は、次のようにとても判りやすく説明している：「法則は完全です。しかし、あなたは不完全であり、したがって完全な法則があなたを通して働けないから、あなたを通して顕現している法則が完全でないということになります。あなたが完全へ近づけば近づくほど、完全な法則がより多くあなたを通して顕現することになります。こう考えてみて下さい。光と鏡があって、鏡がお粗末なものであれば、光のすべてを反射させることができない。その鏡を磨いてより立派なものにすれば、より多くの光を反射するようになります」である。このように、〝宇宙の（絶対的）法則〟の存在を認識し、その内容を把握することは〝無限&無限のエネルギー〟の理解と同様に、あるいはそれ以上に簡単なことではない。

２ 宇宙の（絶対的）法則の重要性

〝宇宙の（絶対的）法則〟の重要性および法則を遵守することの大切さについてシルバー・バーチ(16)は、「私に申し上げられるのは、あくまで摂理は摂理であるということだけです。摂理は摂理であるがゆえに、その摂理通りに働くしかありません。もしも私が原因と結果の関係に干渉することができるとしたら、これは大変なことになります。良かれと思ってしても、結果的には大変な害をもたらすことでしょう。摂理は、完璧にできているのです。定められた通りに働くのが一番良いのです」と教えている。この教えについて、ジェームズ・アレン(9)の〝宇宙の法則〟に関するとても判りやすい説明があるので、次に引用する：「真理に生きる人は、自分が信じる神聖な原則に忠実です。その人にとって、辛く恐ろしく、避けるべきことは、原則を放棄することなのです。……誰かを守るためには、不正な行いも許される時がある、と説く人々がいます。たとえば、誰かの幸福のためなら、嘘を吐いてもいいと言うのです。要するに、進退窮まる状況の下では、真実の原則を捨て去っても良いということでしょう。しかし、偉大なマスターたちが、そのような教えを説いたことは一度もありません。優れた知恵を持つ人々はみな、いかなる状況にあっても、不正が正義になることはなく、嘘に人を救い、守る力などないということをよく知っているからです。不正な行いは苦しみよりも邪悪であり、嘘は死よりも有害で破壊的です。……不正や臆病さや嘘を恐れても、苦しみや死を恐れない不動の信念を持った人々、つまり、苦難の極みにあっても自分の信じる原則に、何の迷いもなく従い続ける人々は、人類の未来の幸福と救済は、いざという時の信念の固さで決まることを知っているのです。したがって、そうした人々は常に美徳の模範であり、救済の源であり、人類全体を向上させるパワーであり続けます。……苦しみに襲われ、不運の闇に覆い尽くされ、苦境に陥った時にこそ、人間は真価を問われます。そうした困難な状況においてこそ、その人が利己的な人間なのか、それとも、真理に忠実な人間であるのかが、明らかになるのです。原則は、困った時にこそ人を救ってくれます。……もし人が、目先の苦しみを避けるために、自分の良心や思いを欺けば、かえって苦悩と不運が増すだけです。常に自分を守ってくれる原則を捨て去ることは、愚かで、危険な行為なのです。真理にこそ、人生の不幸や悲しみの救いがあるのです。いかなる時もそれに従うことです。それが、真の幸福や救いや永続的な心の平安を手に入れる唯一の方法です」である。

さらに、インペレーター[78]は〝宇宙の（絶対的）法則〟の重大性を次のように教えている：

「各自の行動を支配するものは、不可犯の法則である。善行は魂の進歩を助け、悪行は魂の発達を阻止する。幸福は常に進歩の中に見いだされ、進歩につれて神に近づき、完全に近づいていく。……真の幸福を掴もうと思わば、道に協い、我欲から離れたる生活を、ただ一筋に厳守するのみである。幸福は合理的生活の所産であり、これと同様に、不幸は有形無形にわたる一切の法則の意識的違反から発生する。……故意に犯せる罪悪は、どこまで行っても、因果の筋道を辿りて消ゆることがない。これは、悲哀と恥辱とを以て償わねばならない。同様に、善行の結果も永遠不滅である。清き魂の赴く所には、常に良き環境が待ち構えて居り、その一挙一動を助けてくれる。……幸・不幸は、ただその法則を遵守するか否かによって決せらるるのである」となる。このインペレーターの教えに対しても、ジェームズ・アレン⑨の次のようなとても判りやすい説明がある：「法則は、いかなる時も公平です。破れば人は傷つき、従えば人は幸福になれます。法則は、悪事に罰を与える時も、正しい行いを祝福する時も、常に思いやりに満ちています。法則は人間を罰しもしますが、守ってもくれます。……人間は、宇宙の法則を変えることはできません。それは、全く非の打ち所がないものだからです。しかし、その完璧さを理解し、その気高さを自分のものとできるように、自分自身を変えることはできます。不完全なものを、完全なものへ高めようと努力するのは、最高に知的な行いです。真に頭の良い人々は、この世の目に見えない仕組みからなる宇宙を完全な統一体とみなしています。頭の良い人々は、自分の意志と欲望を神聖なる法則に従わせて生きています。賢明な人にとって、宇宙は完璧につくり上げられたものなのです。……釈迦は、宇宙の法則を、〝善の法則〟と呼んでいます。この法則には、一欠片の邪悪さも、非情さもありません。宇宙の法則は、優しい愛と深い憐れみの心で弱者を危害から守り、強者がその力を破壊的な方向に使わないように防いでくれているのです。あらゆる邪悪さを破壊すると同時に、あらゆる善なるものを保護し、巨悪を滅ぼす――この法則の存在に気づき、理解することで、人は永遠の幸せと平和を手にすることができるでしょう。……この法則が、私達を正義へと導きます。誰も、そこから外れることはできません。その中心は愛に溢れ、それに従えば、平和と美しい実りが待っています」である。

3 摂理と基本的法則

『旧約聖書』における「出エジプト記」、「レビ記」、および「民数記」にはとても多くの戒律(律法)が記されている。その中からいくつかを(ごく一部を)紹介した後に、基本的法則について触れる。

■戒律
○殺してはならない。
○盗んではならない。

○あなたの隣人に対し、偽りの証言をしてはならない（仏教における五戒では、「嘘を吐いてはならない」と表現されている）。

○あなたの隣人の家、隣人の妻、飼っている動物など、すべてあなたの隣人のものを欲しがってはならない。

○偽りの噂を言い触らしてはならない。

○人々の間を歩き回って、人を中傷してはならない。

○悪者と組んで、悪意ある証人となってはならない。

○悪を行う権力者の側に立ってはならない。

○強い者に諂（へつら）ってはならない。

○あなたの隣人を虐げてはならない。掠めてはならない。

○あなたは耳の聞こえない者を侮ってはならない。目の見えない者の前につまずく物を置いてはならない。

○もしあなた方の国に、あなたと一緒に在留異国人がいるなら、彼を虐げてはならない。

○あなた方と一緒の在留異国人は、あなた方にとって、あなた方の国で生まれた一人のようにしなければならない。あなたは彼をあなた自身のように愛しなさい。

○呪（まじな）いをしてはならない。卜占をしてはならない。

○あなた方は、霊媒や口寄せに心を移してはならない。

○自身の身に入れ墨をしてはならない。

○賄賂を取ってはならない。賄賂は聡明な人を盲目にし、正しい人の言い分を歪めるからである。

○あなた方は裁きにおいても、物差しにおいても、量においても、分量においても、不正をしてはならない。

○心の中であなたの身内のものを憎んではならない。

○(あなたの隣人が戒律〈律法〉を犯した場合、)あなたの隣人を懇ろに戒めなければならない。そうすれば、隣人のために罪を負うことはない。

■基本的法則(摂理)

○報復と懲罰は異なる。

○一人ひとりは、生きている間の行いによって、愛と真実を目指して歩んだか、それとも憎しみと蒙昧主義に向かったかによって採点される。

○蒔いた種は、自分で刈り取らなければならない(自分が思ったこと、言ったこと、および行ったことの責任は、自らが取らなければならない)。

○人生には、個人としての生活、家族としての生活、国民としての生活、世界の一員としての生活があり、人はそれぞれの生活において摂理に順応したり、逆らったりしながら生きている。摂理に逆らえば、暗黒と病気と困難と混乱と破産と悲劇と流血が生じる。一方、摂理に順応した生活を送れば、叡智と知識と理解力と真実と正義と公正と平和がもたらされる。そして、摂理に適った生き方をしている人、黄金律［隣人を愛すべし（自分が人からしてもらいたいと思う通りを、人にもしてあげなさい）］を生活の規範として生きている人は、宇宙（エロヒム）から、良い報いを受ける。

○人類に混乱と挫折と悲劇と破滅と流血が絶えないのは、自ら真理に対して目を閉じたがる者が多く、また既得の特権を死守せんとする者が多いからである。すべての戦争は、人間が摂理に背いた生き方をすることから生じる。一個の人間、一つの団体、一つの国家が誤った思想から、貪欲から、あるいは権勢欲から、支配欲から、〝宇宙の（絶対的）法則〟を無視した行為に出ることから生じるのである。直接の原因が何であれ、すべては〝宇宙の（絶対的）法則〟についての無知に帰着する。

○病気になるのは、摂理に反したことをするからである。

○人間の本質は精神である。

○他人に加えた悪事はどのように懺悔をしても、どんなに宗教的な罪の赦しを受けても、一度為されてしまえば取り返しがつかない。

○憎しみは憎しみを生み、愛は愛をもたらす。

○すべての人は、たとえ命令に従っただけだとしても、自分の行動に責任がある。もしその命令が自分の良心に反するなら、それが何であろうと誰の命令であっても、決して従ってはいけない［すべての人に、絶対に間違いを犯さない（瞬時に判断をする）良心と理性が授けられている］。

○知識には、それを実行する責任が伴うと同時に、広める義務を持つ。

○生きるということは進化することである（人間の基本的義務は、精神性を発達させることである）。

○罪を告白することが、正しい方向への第一歩となる。

○犯した罪悪がもたらした結果に対して責任を取りたいという欲求を持つことが、進化の第一歩となる。

○知性および叡智は体験から生まれ、十分な体験を経て真理が受け入れられる。

○世の中が偶然によって動かされることはない、そこには必ず不変不滅の〝宇宙の（絶対的）法則〟が存在している。原因と結果の法則が途切れることなく繰り返されている整然とした宇宙には、偶然の入る余地はない。全宇宙に存在するものは、いかに小さなものでも、いかに大きなものでも、全生命を創造した力を基礎として構築された（摂理ないし）法則によって支配されている。

○人が（短い期間の間に）迅速な進歩を為し遂げていくために最も重要な資質は、寛容な心である。

○成長の途上における絶え間ない新しい要素の付加と蓄積による豊かさの増大、および限りない変化が、最良の結果と最高の性質を生む。

○人生は、完全へ向けての無限の階段の連続である。一段一段、自らの力で向上していかねばならない。

○人を強くさせる最大の秘訣は、人の負担すべき大なる責務を明確に認識させることである。

○真に求める者にして、最後に真理を掴まない者はいない。ただし、それには一切が試練される、そして資格のある者にのみ智慧が授けられる。前進の前には、常に準備が要る。これが、不変の鉄則である。資格が備わってからの進歩であり、忍耐が大切な所以である。

○人間として最大限の成果を挙げるべく、努力をすることである。背後のスピリットとの協調性が高まれば高まるほど、より大きな成果が得られる。

○精神性および知性を高めるための教訓は、自分で学ばねばならない、他人から頂戴するものではない。艱難辛苦、辛く、厳しく、難しく、苦しい体験の中で、自らが学ばなければならないのである。それが、真に人のために役立つ者となるための鉄則である。

○艱難辛苦（苦難・困難）こそが、全ての疑念と誘惑を蹴散らし、最後には不動の信念と叡智へと導いてくれる。これも、〝宇宙の（絶対的）法則〟として定められた一つのパターンである。

○精神と知性を向上させるための最高の知識（の一つ）は、人生が〝死〟を以て終了するのではないということ、すなわち、人生は死後もなお永遠に続き、皆にやり直すチャンスが必ず与えられる。その永遠の旅路の中で、人間は内在している能力、才能を発揮するチャンスが与えられ、同時にまた、摂理を無視した悪行の償いをするチャンスが与えられる。

○あなたに解決できないほど大きな問題、背負えないほど重い荷を、与えられることはない。それが与えられたのは、それだけのものに耐え得る力があなたにあるからである。この真理が常に心に住みついているようになれば、何ものにも脅えることがなくなる。

○〝宇宙の（絶対的）法則〟によって社会が、さらに世界が統治されている地球をつくりあげていくための計画が変わることはない。あなたが自らを変えて、その計画に合わせなくてはならない。〝無限&無限のエネルギー〟の力の流れに調和し、日々の生活をその流れに乗って送れば、あなたの地上での存在意義が完うされるのです。

○恐怖心は、無知の産物に他ならない。つまり、知らないから怖がるのである。だから、精神と知性を向上させるための知識（特に〝原因と結果の法則〟に関する知識）を携えてその理解の中に生きることである。人間が恐れるべきものは、恐怖心それ自体である。〝無限&無限のエネルギー〟の力に不動の信念を持つ内なる心に従う人間は、恐れることを知らない。

○人生において最終的に判断を下すのは、あなた自身の〝理性〟であらねばならない。あなた自身の理性に基づいて人生を歩めば、未来は過去から生まれるので、これまでに起きたことの中から将来の役に立つものが見いだされ、すべてが価値があったことになる。

○内なる心に従おうとする人間にとって最も理想的な生活は、四六時中いささかの油断もなく、自己に与えられた天職を内観（内省）し、一心不乱に自己の向上と同時に、同胞の幸福を図り、〝無限&無限のエネルギー〟を愛し敬い、そして忠実に自己を守護してくれているスピリットたちの指示を厳守することである。そうした内なる心に従う人間には、汚染の分子が少ないから、したがって進歩が迅い。ありとあらゆる形式の虚栄と利己主義、すべての種類の怠慢と懶惰（らんだ）、また何らかの形で行われる放縦と我がまま、これらは皆向上前進の大敵である。内なる心に従おうとする人間にとって最大の味方は、愛と知識の二つである。

4　「マタイによる福音書」、特に〝山上の垂訓〟に見られる重要な法則

『新約聖書：「マタイによる福音書」』、特に〝山上の垂訓〟には、重要な摂理および法則が多数認められる。その中から〝無限&無限のエネルギー〟や〝宇宙の（絶対的）法則〟を理解す

る上でとても参考になる言説をいくつか、できる限り簡単な説明を添えながら紹介する。

〝宇宙の（絶対的）法則〟の普遍性と遵守することの重大性を教える

天地が滅び失せない限り、律法の中の一点一画でも決して廃れることはありません。全部が成就されます。だから、戒めのうち最も小さいものの一つでも、これを破ったり、また破るように人に教えたりする者は、天の御国で、最も小さい者と呼ばれます。しかし、それを守り、また守るように教える者は、天の御国で、偉大な者と呼ばれます。

【第5章18・19節】

「己を思わず、報酬を求めず、ただひたすらにすべてのものの幸せを願い、ただひたすらにすべてのものを愛する」のが〝無限のエネルギー〟の在り様であり、そのように生きるための具体的譬え（実際にはイエスが行った例）を示す

私はあなた方に言います。悪い者に手向かってはいけません。あなたの右の頬を打つような者には、左の頬も向けなさい。あなたを告訴して下着を取ろうとする者には、上着もやりなさい。……求める者には与え、借りようとする者は断らないようにしなさい。「自分の隣人を愛し、自分の敵を憎め」と言われたのを、あなた方は聞いています。しかし、私はあなた方に言います。自分の敵を愛し、迫害する者のために祈りなさい。それでこそ、天におられるあなた

方の父の子供になれるのです。

【第5章39－45節（ただし41節を除く）】

愛（〝無限のエネルギー〟の在り様である普遍的な愛）と偽善は、異なる。人間が〝無限のエネルギー〟の在り様を現在の我々のレベルである物質界のレベルへ引きずり下ろしてしまうことになれば、引きずり下ろされた〝無限のエネルギー〟の在り様は災いの種になり兼ねない。(4)そうならないようにするために、人間の側が〝無限のエネルギー〟のレベルまで精神性・知性を高めるよう努力しなければならないことを教える

人に見せるために人前で善行をしないように気をつけなさい。そうでないと、天におられるあなた方の父から、報いが受けられません。だから、施しをするときには、人に褒められたくて会堂や通りで施しをする偽善者たちのように、自分の前でラッパを吹いてはいけません。誠に、あなた方に告げます。彼等はすでに自分の報いを受け取っているのです。あなたは、施しをするとき、右の手のしていることを左の手に知られないようにしなさい。あなたの施しが隠れているためです。そうすれば、隠れた所で見ておられるあなたの父が、あなたに報いて下さいます。また、祈るときには、偽善者たちのようであってはいけません。彼等は、人に見られたくて会堂や通りの四つ角に立って祈るのが好きだからです。誠に、あなた方に告げます。彼等はすでに自分の報いを受け取っているのです。あなたは、祈るときには自分の奥まった部屋にはいりなさい。そして、戸を閉めて、隠れた所におられるあなたの父に祈りなさい。そうすれば、隠れた所で見ておられるあなたの父が、あなたに報いて下さいます。……自分の宝を地上に蓄えるのはやめなさい。……あなたの宝のある所に、あなたの心もあるからです。……誰も、二人の主人に仕えることはできません。一方を憎んで他方を愛したり、一方を重んじて他方を軽んじたりするからです。あなた方は、神にも仕え、また富にも仕えるということはできません。

【第6章1－6、19－21、&24節】

「人類のために積極的であること」および「〝宇宙の（絶対的）法則〟を遵守すること」の大切さとその報いに対する教え

平和をつくる者は幸いです。その人は神の子供と呼ばれるからです。義のために迫害されている者は幸いです。天の御国はその人のものだからです。……自分の宝を地上に蓄えるのはやめなさい。……自分の宝は、天に蓄えなさい。……あなたの宝のある所に、あなたの心もあるからです。……誰も、二人の主人に仕えることはできません。一方を憎んで他方を愛したり、一方を重んじて他方を軽んじたりするからです。あなた方は、神にも仕え、また富にも仕えるということはできません。だから、私はあなた方に言います。自分の命のことで、何を食べようか、何を飲もうかと心配したり、また、身体のことで、何を着ようかと心配したりしてはいけません。命は食べ物より大切なもの、身体は着物より大切なものではありませんか。……そういうわけだから、何を食べるか、何を飲むか、何を着るか、などと言って心配するのは止めなさい。こういうものは皆、異邦人が切に求めているものなのです。しかし、あなた方の天の父は、それが皆あなた方に必要であることを知っておられます。だから、神の国とその義とをまず第一に求めなさい。そうすれば、それに加えて、これらのものはすべて与えられます。……狭い門から入りなさい。滅びに至る門は大きく、その道は広いからです。そして、そこから入って行く者が多いのです。命に至る門は小さく、その道は狭く、それを見いだす者はまれです。……イエスは言われた。「『心を尽くし、思いを尽くし、知力を尽くして、あなたの神である主を愛せよ』。これが大切な第一の戒めです。『あなたの隣人をあなた自身のように愛せよ』という第二の戒めも、それと同じように大切です。律法全体と預言者とが、この二つの戒めにかかっているのです」。

【第5章9・10節：第6章19－21、24・25、&31－33節：第7章13・14節：第22章37－40節】

寛容さの重要性を教える【優先すべきは相手（隣人&他人）の自由と平穏】

我等に負い目ある者を我等が赦すように、我等の負い目をも赦して下さい。……もし人の罪を赦すなら、あなた方の天の父もあなた方を赦して下さいます。しかし、人を赦さないなら、あなた方の父もあなた方の罪をお赦しになりません。……裁いてはいけません。裁かれないためです。あなた方が裁く通りに、あなた方も裁かれ、あなた方が量る通りに、あなた方も量られるからです。

【第6章12、14・15節；第7章1・2節】

"私達に他人を変える権利はない（私達は同胞の番人ではない）"ことを教える【私達は、自分で自分を変える権利しか持ち合わせていない】

なぜあなたは、兄弟の目の中の塵に目をつけるが、自分の目の中の梁には気が付かないのですか。兄弟に向かって、「あなたの目の塵を取らせて下さい」などとどうして言うのですか。見なさい、自分の目には梁があるではありませんか。偽善者たち。まず自分の目から梁を取り除けなさい。そうすれば、はっきり見えて、兄弟の目からも、塵を取り除くことができます。

【第7章3－5節】

「理解できる力・段階にない者に能力以上のものを無理やり押しつけてはならない」&「理に適った"人生の目的"を持って生きることの大切さ」を教える

聖なるものを犬に与えてはいけません。また豚の前に、真珠を投げてはなりません。それを足で踏みにじり、向き直ってあなた方を引き裂くでしょうから。求めなさい。そうすれば与えられます。捜しなさい。そうすれば見つかります。叩きなさい。そうすれば開かれます。誰であれ、求める者は受け、捜すものは見つけ出し、叩く者には開かれます。

【第7章6－8節】

理性の大切さとその行使の在り方を教える

偽預言者たちに気をつけなさい。彼等は羊の形をしてやって来るが、内は貪欲な狼です。あなた方は、実によって彼等を見分けることができます。葡萄は、荊からは取れないし、無花果は、薊から取れるわけがないでしょう。同様に、良い木はみな良い実を結ぶが、悪い木は悪い実を結びます。良い木が悪い実をならせることはできないし、また、悪い木が良い実をならせることもできません。良い実を結ばない木は、みな切り倒されて、火に投げ込まれます。こういうわけで、あなた方は、実によって彼等を見分けることができるのです。

【第7章15－20節】

〝無限&無限のエネルギー〟の重要さを教える（すべてが〝無限&無限のエネルギー〟の在り様に基づいて判断・実践されなければならない）

私はあなた方に言います。人はどんな罪も冒瀆も赦していただけます。しかし、聖霊に逆らう冒瀆は赦されません。また、人の子に逆らう言葉を口にする者でも、赦されます。しかし、聖霊に逆らうことを言うものは、誰であっても、この世であろうと次に来る世であろうと、赦されません。……イエスは彼等を呼び寄せて、言われた。「あなた方も知っている通り、異邦人の支配者たちは彼等を支配し、偉い人たちは彼等の上に権力をふるいます。あなた方の間では、そうではありません。あなた方の間で偉くなりたいと思う者は、皆に仕える者になりなさい。あなた方の間で人の先に立ちたいと思う者は、あなた方の僕になりなさい。人の子が来たのが、仕えられるためではなく、かえって仕えるためです」。……あなた方は皆兄弟です。あなた方は地上の誰かを、我等の父と呼んではいけません。あなた方の父はただ一人、すなわち天にいます父だけだからです。また、師と呼ばれてはいけません。あなた方の師はただ一人、キリストだからです。あなた方のうちの一番偉大な者は、あなた方に仕える人でなければなりません。誰でも、自分を高くする者は低くされ、自分を低くする者は高くされます。

【第12章31・32節：第20章25－28節：第23章8－12節】

「資格のある者にはその資格に応じた量の援助が授けられる」&「知識にはそれを実行する責任が伴うとともに、広める義務を有する」ことを教える

弟子たちが近寄って来て、イエスに言った。「なぜ、彼等に譬えでお話しになったのですか」。イエスは答えて言われた。「あなた方には、天の御国の奥義を知ることが許されているが、彼等には許されていません。というのは、持っている者はさらに与えられて豊かになり、持たない者は持っているものまでも取り上げられてしまうからです。私が彼等に譬えで話すのは、彼

等は見てはいるが見ず、聞いてはいるが聞かず、また、悟ることもしないからです」。【第13章10－13節】

最後の審判の時に起こること【：最も意識の高い人達の選別方法】

イエスがオリーブ山で座っておられると、弟子たちが、ひそかに御許に来て言った。「お話し下さい。いつ、そのようなことが起こるのでしょう。あなたの来られる時や世の終わりには、どんな前兆があるのでしょう」。そこで、イエスは彼等に答えて言われた。「人に惑わされないように気をつけなさい。私の名を名乗る者が大勢現れ、『私こそキリストだ』と言って、多くの人を惑わすでしょう。また、戦争のことや、戦争の噂を聞くでしょうが、気をつけて、慌てないようにしなさい。これらは必ず起こることです。しかし、終わりが来たのではありません。民族は民族に、国は国に敵対して立ち上がり、方々に飢饉と地震が起こります。しかし、そのようなことは皆、産みの苦しみの初めなのです。その時、人々は、あなた方を苦しい目に会わせ、殺します。また、私の名のために、あなた方はすべての国の人々に憎まれます。また、その時は、人々が大勢つまずき、互いに裏切り、憎みあいます。また、偽預言者が多く起こって、多くの人々を惑わします。不法がはびこるので、多くの人達の愛は冷たくなります。しかし、最後まで耐え忍ぶ者は救われます。この御国の福音は全世界に宣べ伝えられて、すべての国民に証しされ、それから、終わりの日が来ます。それゆえ、預言者ダニエルによって語られたあの『荒らす憎むべき者』が、聖なる所に立つのを見たならば、その時は、……山へ逃げなさい。……その時には、世の初めから、今に至るまで、未だかつてなかったような、またこれからもないような、ひどい苦難があるからです。もし、その日数が少なくされなかったら、一人として救われる者はないでしょう。しかし、選ばれた者のために、その日数は少なくされます。その時、『そら、キリストがここにいる』とか、『そこにいる』とか言う者があっても、信じてはいけません。偽キリスト、偽預言者たちが現れて、できれば選民をも惑わそうとして、大きな標や不思議なことをして見せます。さあ、私は、あなた方に前もって話しました。……だが、人の子が来るのは、稲妻が東から出て、西に閃くように、ちょうどそのように来るのです。……人の子これらの日の苦難に続いてすぐに、太陽は暗くなり、月は光を放たず、星は天から落ち、天の万象は揺り動かされます。……人の子は、……御使いたちを遣わします。すると御使いたちは、天の果てから果てまで、四方からその選びの民を集めます。無花果の木から、譬えを学びなさい。枝が柔らかになって、葉が出てくると、夏の近いことが判ります。そのように、これらのことをすべて見たら、あなた方は、人の子が戸口まで近づいていると知りなさい。誠に、あなた方に告げます。これらのことが全部起こってしまうまでは、この時代は過ぎ去りません。この天地は滅び去ります。しかし、私の言葉は、決して滅びることがありません。ただし、その日、その時がいつであるかは、誰も知りません。天の御使いたちも子も知りません。ただ父だけが知っておられます」。

【∵イエスは、また別の譬えを彼等に示して言われた。「天の御国は、こういう人に譬えることができます。ある人が自分の畑に良い種を蒔いた。ところが、人々の眠っている間に、彼の敵が来て麦の中に毒麦を蒔いていった。麦が芽生え、やがて実った時、毒麦も現れた。それで、その家の主人の僕たちが来て言った。『ご主人。畑には良い麦を蒔かれたのではありませんか。どうして毒麦が出たのでしょう』。主人は言った。『敵のやったことです』。すると、僕たちは言った。『では、私達が行ってそれを抜き集めましょうか』。だが、主人は言った。『いやいや。毒麦を抜き集めるうちに、麦も一緒に抜き取るかもしれない。だから、収穫まで、両方とも育つままにしておきなさい。収穫の時期になったら、私は刈る人達に、まず、毒麦を集め、焼くために束にしなさい。麦の方は、集めて私の倉に納めなさい、と言いましょう』。……弟子たちが御許に来て、「畑の毒麦の譬えを説明して下さい」と言った。イエスは答えてこう言われた。「良い種を蒔く者は人の子です。畑はこの世界のことで、良い種とは御国の子供たち、毒麦とは悪い者の子供たちのことです。毒麦を蒔いた敵は悪魔であり、収穫とはこの世の終わりのことです。そして、刈り手とは御使いたちのことです。ですから、毒麦が集められて火で焼かれるように、この世の終わりにもそのようになります。人の子はその御使いたちを遣わします。彼等は、つまずきを与える者や不法を行う者たちを皆、御国から取り集めて、火の燃える炉に投げ込みます。彼等はそこで泣いて歯ぎしりをするのです。その時、正しい者たちは、天の父の御国で太陽のように輝きます。耳のある者は聞きなさい」。】

5 より深遠な法則

Iの〝1 人生の目的を実現する（自己を開花・実現する）ことの重要性とその基本〟で触れたように、インペレーター[4]は、「同じく真理にも、深遠な霊的真理（＝〝無限＆無限のエネルギー〟に関する法則＆精神に関する法則）と、人間の精神に受け入れられる範囲での真理とがあり、その間に大きな隔たりがあることが、人間には洞察できないことです。……忘れてならないことは、人間の精神は地上への誕生時の条件によって支配され、霊格が開かれるまでは、その受け入れる真理はごく限られていることです」、また、木村藤子[14]が「魂のシナリオには、二つの側面があります。一つは、過去生のカルマゆえに、どうしても本人が向き合わなければいけない課題があること。そして、その課題を乗り越えて心の成長を遂げられたならば、この世における新たな人生のシナリオが書き加えられて幸せを手にすることができる――これが二つ目の側面です。……知っておいていただきたいのは、この世の不幸から脱して、幸せを手にしたいのなら、人生の困難な状況から逃げないことです。魂のシナリオにそって一所懸命に生ききることが、あなたの人生をより豊かなものにし、あなたらしさを輝かせるとともに、ひいてはそれが魂の成長につながります」、さらに、マイトレーヤ・ラエル[1]が「人は、個人の開花というものを考慮しなければなりません。それなしには、精神はその潜在的能力を十分に発揮することはできませんし、また無限と調和して、新しい人間になることもできないからです」と教えているように、最初のとても重要な理に適った〝人生の目的の実現（自己の開花と実現）〟後でなければ、より深遠な霊的真理は受け入れられない、すなわち、理解の範疇および能力の範囲を超えている。そこで、本書では、そのことの根拠の一例を示す、すなわち、Ⅵの〝5 **無限との調和**〟の⑵の〝**(iii) マインドマスタリー**〟で述べた、最初のとても重要な理に適った〝人生の目的〟を実現する（自己を開花し実現する）ことの非常に重要な意義の証しを示すために、基本的法則（摂理）に比較してより深遠な真理および法則のいくつかを、以下に紹介する。ただし、この項では〝3 **摂理と基本的法則**〟の〝**基本的法則（摂理）**〟と異なり、神や自然法則（神の摂理）などを〝無限&無限のエネルギー〟や〝宇宙の（絶対的）法則〟などには修正せず、あえて〝無限&無限のエネルギー〟と〝宇宙の（絶対的）法則〟の完全さ（完璧さ）を強調するために、両者を併記している箇所がいくつか存在する。

罪&故意に犯せる罪の怖さ　罪とは、本質的に、霊性（精神性・知性）を高めるべく意図された永遠不変の摂理に、意識的に違反することである。そして、摂理を故意に（意識的に）犯した場合には、苦き涙という代償を支払わされる。過ちの種を蒔けば、何としても自ら刈り取らなければならないが、故意に犯せる罪悪は、どこまで行っても消えることがなく、悲哀と恥辱とを以て償わなければならない。

慈悲は神的属性ではない　慈悲は神的（〝無限&無限のエネルギー〟の）属性ではなく、そうしたものは無用である。なぜなら、慈悲は刑罰の赦免を必要とし、刑罰の赦免は犯した罪の一切の結果が除き去られた後においてのみ、可能だからである。

すべての生命は〝無限〟の一部　すべての生命あるものは〝無限〟の一部であり、人間のものではない。したがって、いかなる形にせよ、生命を奪うことは許されず、生命を奪う者はいつかその責任を取らなくてはならない【それゆえに、人類の進歩のためにということで、実験などで動物を犠牲にすることは許されない】。

人生において最も重要な関係は〝無限〟との繋がり　〝無限&無限のエネルギー〟とのより緊密な調和（完全な調和）を目指して生きること（行動すること）が、人生において最も大切なことであり、人類の精神および知性を向上させることに他ならない。

精神性・知性の成長はゆっくりとなされなければならない　精神性・知性の進歩は、突発的な改革のような形でなされるものではない。精神性・知性の成長はゆっくりとした歩調でなされなければならず、大事に育て慎重に広めていく必要があることを銘記しなければならない。急激な改心は得てして永続きせず、精神性・知性の向上は永続性が命である。

知性の発達を基礎とすべき進化　進化は、あくまで精神性・知性の発達を通して為されなければならない。

感謝を求めることは筋違い　私達は施しをした時や世話をした時に、相手からの感謝を期待することがある。そのために、その親切な行為に対して感謝の言葉などが得られなかった場合、不満の言葉を口にすることがある。しかし、それは筋違い（的外れ）であり、相手を思ってした親切な行為によって徳を積み、霊（精神と知性の）格を上げることで、その行為を完了させなければならない。

争いはすべて平和を滅ぼす（敵対する心が戦争を引き起こす）　「戦争には絶対反対です」というような、敵対する心の在り方が争いごとを助長し、延いては戦争を引き起こすのである。それゆえに、平和のために戦うことなど、あり得ない。争いはすべて、平和を滅ぼすものだからである。真に平和的な人は、口論や派閥争いに傾く思いを放棄し、他人を攻撃することもなく、その心はあらゆるものに対して平和的である。利己心こそが巨大な敵であり、すべての争いのもとであり、多くの悲しみを生み出すもとである。もし世界に平和をもたらしたいと思うなら、〝無限&無限のエネルギー〟と調和し、ただひたすらにすべてのものを愛することである。

〝あなたの隣人をあなた自身のように（あなた以上に）愛する〟ことが世界に平和をもたらす　世界に平和をもたらすのは、様々な団体に主要な信条として採用されてきた〝人類同胞主義〟ではなく、身近な人への友愛、すなわち、〝あなたの隣人をあなた自身のように（あなた以上に）愛する〟ことである。人類同胞主義という大きな目標は、〝あなたの隣人をあなた自身のように（あなた以上に）愛する〝という地道な努力によって成し遂げられていくものなのである。

優れた知性（あるいは、資産）を有する人は、そうでない人よりはるかに大きな、人々に幸福をもたらす義務を有する　とても知性が優れている人、または資産のある人は、周囲の人に対して小さな善を行っただけで許される優れた知性や財産を持たない人に比較して、人々に幸福をもたらす、より大きな義務を有する（持てる能力や才能が多ければ多いほど、それだけ責任も大きくなる。才能が有りながらそれを使用しない者は、才能の無い人より大きい責任を取らされる）。

心霊的（サイキック）能力に対する価値づけ　心霊的な（サイキック）能力（あるいは、魔術的な能力）は低級なものであり、真の自我を発現する際には、テレパシー能力以外の心霊的な能力は捨てなければならない。

愛の最高の形の表現　愛他的動機から人類の向上のために、言い換えれば、内部に秘めた無限の可能性を悟らせるために尽力する人は、愛を最高の形で表現している人である。

宇宙最大の力である霊力　霊（〝無限のエネルギー〟の）力は偉大で、素晴らしい威力を発揮する。この事実を否定したり、この知識の普及を妨げんとしたりする者は、必ずその結果に対して責任を取らなければならない。

意識の内面化（魂の内的な静寂と輝き）の重要性　至って実用的な霊的教訓が、魂の内的な

（内なる心の）静寂と輝きを体得する方法を教えてくれる。そして、その真の自我を見いだしたことから生まれる魂の平安と自信が、〝悟った〟、〝神を見いだした〟［〝無限＆無限のエネルギー〟と（完全に）調和した］と言うのである。そうなれば、人生のいかなる苦しみにも、悲しみにも負けることはない。なぜなら、悟りを開いたあなたは、いついかなる時でも神の扉を開けることができるからである。

人間の、神と同胞と自分自身に対する責務　人間は神（〝無限＆無限のエネルギー〟）に対し、同胞に対し、さらに自分自身に対して、全身全霊を捧げて尽くす責務がある。現実の生活に即しての教えを要約すると、次の三部分に分かれる：

(1)　神に対する責務　　神の認識と崇敬。
(2)　同胞に対する責務　　隣人への貢献。
(3)　自己に対する責務　　i．自己の肉体を守る。
　　ii．自己の知識を開発する。
　　iii．真理を求める。
　　iv．善行を励む。
　　v．霊の交信と天使の支配を講ずる。

これらの規則の中に、人間としての必要な責務は、ほぼ尽くされている。

以上のように、本書においては、明らかにとても多くの人達が誤解していると思われる摂理・法則・真理［〝宇宙の（絶対的）法則〟］のうち、主に〝無限&無限のエネルギー〟および〝科学と知性の培い方の相違&知性〟の、私達の想像を超えた重要性と理解の範囲を超えている可能性がとても高いことを示すための、より深遠な法則（・摂理）のいくつかを紹介した。そして、これらのより深遠な法則（・摂理）の意味が把握できるようになった時には、最初のとても重要な理に適った〝人生の目的を実現する（自己を開花・実現する）〟ことのとても重要な意味と意義が理解されているはずである。

6 宇宙の（絶対的）法則の理解を困難にしている要因

〝宇宙の（絶対的）法則〟は、その土台をなす〝無限&無限のエネルギー〟の在り様を理解し、実感できなければ、非常に表面的な理解となってしまう。また、Ⅶの〝5 **より深遠な法則**〟で述べたように、「同じく真理にも、深遠な霊的真理と、人間の精神に受け入れられる範囲での真理とがあり、その間に大きな隔たりがあることが、人間には洞察できないことです。……忘れてならないことは、人間の精神は地上への誕生時の条件によって支配され、霊格が開かれるまでは、その受け入れる真理はごく限られていることです(4)」から理解されるように、〝宇宙の（絶対的）法則〟、さらにその基礎をなす〝無限&無限のエネルギー〟を学ぶにあたっては、〝宇宙少なくとも次の五つの重要な事項を理解していることが強く望まれる：⑴人類とは、そして人類の歴史とは、⑵人生とは（人生の目的とは）、⑶人生の基本について、⑷最も望ましい人生の在り方（最も望ましい生き方）、⑸すべてにおいて知識・理性・信念に基づいて判断・行動すること、特に学びにおいては〝理性〟に基づいて判断・実践する力を身に付けることである。

⑴　人類とは、そして人類の歴史とは

私達人間にとって最も重要なことは、私達人類が絶えず存続を続け、決して滅亡しないようにすることとである。[(1)] そのために、特に重要なことは、人間が滅亡しないように、現に存在している者をより幸福にするための努力をすることである。そのために、私達は知性と科学、特に知性を大切にしなければならない。その知性が、私達人間を人間たらしめ、私達（地球）人類を存続させていくことを可能にするのである。このことを、〝人類の歴史〟という観点から、アウグスティヌス[(83)]は、「地上の歴史は、神の無限の善と愛の実現へと向かう、神の国の歴史の一面である」とする世界史的歴史観として表している。また、ヘーゲル[(59)]も、「世界の歴史は、〝世界精神〟、または〝世界理性〟が、自らの本質を自覚し実現するプロセスに他ならない。換言すると、精神や理性は究極においては神［＝〝絶対精神〟＝〝(無限) 精神〟］に等しいから、世界の歴史は神意、または摂理の実現過程である」と述べている。

このように、そして、VIの〝②無限の呼称〟からも理解されるように、古くから、知性、さらには〝無限（&無限のエネルギー）〟および〝宇宙の（絶対的）法則〟の重要性については述べられてきたとともに、後述するように、そのために為すべきことも言及されてきている。それは、現在も変わらない。ただ、科学技術のレベルと知性のレベルに応じて、より正確には、知性と科学的知識の発達に伴って、表現や求められる程度が異なっているために、私達の理解や判断のレベルを超えていることがとても多い。しかしながら、私達がとても高度の知識を豊富に有する非常に知性の優れたスピリット（知性の非常に優れたスピリット）が求める〝理性〟と真の〝協調〟に基づいて物事を判断するようにすれば、この思考の変化にも対応できるはずである。知性の非常に優れたスピリットが、〝理性〟および真の〝協調〟を求める所以である。

⑵ 人生とは（人生の目的とは）

シルバー・バーチ[11]は、〝人生とは〟を次のように教えている：「人生とは、自己の内部の完全性を不完全な環境の中で表現しようと求める試練の場、あるいは一種の闘争の場です。そして、その人生の目的は、自己の霊的開発（自己鍛錬、自己制御、自己開発）を成就することです」であり、より判りやすく表現すると、「人生とは、神から授かっている霊的資質を少しでも多く発揮するように、精神を修養し、霊性を鍛錬して、他人のために役立つことをする、その練

習をしているのです」[84]となる。そして、このことに関連して常に念頭に置いておかなければいけない事項が、

1.「地上へ誕生してくる時、魂そのものは、地上でどのような人生を辿るかを予め承知しております（ブルー・プリント）。ただし、〝魂は知っている〟というのは、細かい出来事の1つ1つまで知り尽くしているという意味ではなく、どういうコースを辿るかを理解しているということです。そして、必要な資質を身につける上で、そのコースが一番効果的であることを得心して、自由意志によって選択します。その意味であなた方は、自分がどのような人生を生きるかを覚悟の上で、生まれて来ているのです。その人生を生き抜き、困難を克服することが、内在する資質を開発して、真の自我、より大きな自分に新たな神性を付加していくことになるのです」[84]

2.「地上に再生するに際して各自は、地上で使用する才能について予め認識しております」[11]

3.「ただ、実際に肉体に宿ってしまうと、その肉体の鈍重さのために、誕生前の自覚が魂の奥に潜んだまま、通常意識に上がって来ません」[11]

4.「ブルー・プリントが自覚できない場合、魂は神性を宿すが故に、常に活動を求め、自己表現を求めて波のようにうねります。時にはそれが悲嘆、無念、苦悩、病苦とい

う形をとり、無気力状態のあなたにカツを入れ、目を覚まさせることになります。もしも神があなたに創造活動へ参加させ、そうすることによって潜在的神性を開発させることを（あなたが）望まないのであれば、あなたがこの世に生を享けた意味は無いことになりましょう[11]」

5.「神の計画が、変わることはありません。あなたが自らを変えて、その計画に合わせなくてはなりません。神の霊力の流れに調和し、日々の生活をその流れに乗って送れば、あなたの地上での存在意義が全うされます[11]」

である。

以上のような特質を有する人生の目的を実現する（自己を開花し実現する）ことはとても重要で、その重要性をロバート・フルフォード&ジーン・ストーン[8]はとても判りやすく、次のように力説している：「社会が望ましい方向に変わるための一番確実な道は、我々一人ひとりが自己の霊的な側面との繋がりを持つことであるのは言うまでもない。霊的な側面を見つける方法はいくらでもある。だが、その前に、自分の人生の究極の目的を見つけなければならない。では、人生の目的とは何か？　私には答えられない。それを見つけることが、その人の一生をかけた課題なのである。……自分の目的を見つけることがそんなに重要なのか？　私に言わせれば、それ以上に重要なことは他にないほどである。目的を見つけるためには、何かを捨てなくてはならないかもしれない。捨てるのは、それまで人類の福祉に貢献してきた大切なものかもしれない。しかし、それでいいのである。心から満たされた思いで人生を終えるには、目的を見つけ、その目的を果たすしかない。人が目的を果たすとき、目的がその人を完成に導いてくれる。子供や青年にそれを理解させることができたら、どんなにいいだろう。……では、目的を果たさなかったら、目的を見つけようともしなかったらどうなるか？　無目的な人生を送った人がどうなるかを見届けたかったら、その人の臨終に立ち会えば良い。……彼等の死は格闘である」となる。

(3) 人生の基本について

人生は、苦難・困難との直面、そしてその克服の繰り返し（連続）である。そのことをシルバー・バーチ[11]は、次のように教えている：「運命の十字路に差し掛かるごとに、右か左かの選択を迫られます。つまり、苦難に厳然と立ち向かうか、それとも回避するかの選択を迫られるわけですが、その判断はあなたの自由意志に任されています。……地上生活において、内在する神性を開発するためのチャンスは、予め用意されております。そのチャンスを前にして、積極姿勢を取るか、消極姿勢を取るか、あるいは、滅私の態度に出るか、自己中心の態度に出るかは、あなた自身の判断によって決まるということです。地上生活は、その選択の連続と言っても良いでしょう。選択とその結果が、人生を織りなしていくのであり、霊的に成熟しているか否か、といったこともそれによって決まります。そのことに関連して忘れてならないことは、持てる能力や才能が多ければ多いほど、それだけ責任も大きくなるということです。才能が有りながらそれを使用しない者は、才能の無い人より大きい責任を取らされます」、および「霊的開発と成就は容易にできるものではなく、しかも王道はないのです。さらに、霊的開発と成就への道においては、苦難と困難と苦痛と障害とハンディが必須不可欠の要素です。なぜなら、悪戦苦闘すること、暗闇の中に光を見いださんと努力すること、光の有り難さをしみじみと味わうこと、という体験を通して、初めて魂が成長するからです」である。

そして、そのような〝人生の基本〟において、肝に銘ずべき最も重要な事項の一つが、「一人ひとりの霊的自我の中に、絶対に誤ることのない判定装置（モニター）が組み込まれているのです。正常な人間である限り、言い換えれば、精神的・知的に異常または病的でない限り、自分の行動と思考を監視する絶対に誤ることのない装置が、内蔵されております。いわゆる、道義心です。考えること、口にすること、行うことを、正しく導く不変の指標です。それがいかなる問題、いかなる悩みに際しても、その都度自動的に、直感的に、そして躊躇することなく、あなたの判断が正しいか間違っているかを告げます。それを人間は時として揉み消し、時として言い訳や屁理屈で片付けようとします。しかし、真の自我はちゃんと分かっているのです。自分で正しいと思うこと、良心が指図することを、忠実に実行しないといけません。最後は、自分が自分の裁判官となります[84]」である。すなわち、〝生きるということは、進化することである〟ので、苦難・困難を避けることは決して良い結果をもたらさないばかりでなく、むしろ自分自身に対して不利益や災いとして作用する結果をもたらす。つまり、本来為すべきことに対して、人生が私達に働きかけてくることになる、(85)すなわち、〝(2)**人生とは**〟における〝**4.**〟の〝悲嘆、無念、苦悩、病苦があなたにカツを入れ、目を覚まさせる〟ために働きかけてくることを、常に心に留めておく必要がある。

(4) 最も望ましい人生の在り方（最も望ましい生き方）

最も望ましい人生の在り方については、VIIの〝**4「マタイによる福音書」、特に〝山上の垂訓〟に見られる重要な法則**〟で示した「マタイによる福音書」の中の、次の言説がとても参考になる：「彼等のうちの一人の律法の専門家が、イエスを試そうとして、尋ねた。先生、律法の中で大切な戒めはどれですか。そこで、イエスは彼に言われた。『心を尽くし、思いを尽くし、知力を尽くして、あなたの神と主を愛せよ（原文は、〝あなたの神である主を愛せよ〟）』。これが、大切な第一の戒めです。『あなたの隣人を、あなた自身のように愛せよ（本当は、〝あなた自身以上に愛せよ〟とすべきである）』という第二の戒めも、それと同じように大切です。律法全体と預言者とが、この2つの戒めにかかっているのです（第22章35－40節）」である。

ところで、〝宇宙の（絶対的）法則〟をきちんと理解し、それに基づいて適切に行動したイエスのこの教えは、〝宇宙の（絶対的）法則〟をきちんと理解していない場合には、人によって解釈が異なる場合がある。そこで、イエスが述べた意味を、表現の異なる二つの言説として紹介する：「人類のために積極的であり、創造者たちを信じ、創造者たちの戒律に従った人達は、その時が来ると、大いなる喜びと共に迎えられるでしょう。そして、人類のために尽くした天才たちは最高の評価を受け、最高の報いを受けます。また、天才たちが開花するのを助けたり、あるいは真実が勝利を得るのに尽くした正しい人達も、同じように報われるでしょう」、および「〝人生の究極の目的〟は、仕事を通して神の計画の遂行に参加し、自分が何であるかも自覚せず、何のために地上に生まれてきたのかも知らず、したがって、何を為すべきなのかも知らずに迷っている神の子等に、永遠の真理、不変の実在を教えてあげることです。これは、何にも勝る偉大な仕事です。たった一人でもよろしい。霊的真理に目覚めさせることができたら、あなたの地上生活は無駄でなかったことになります。一人でいいのです。それであなたの存在の意義があったことになります[11]」である。つまり、「〝知性と科学〟を最も大切にし、人のために［特に、隣人が人生の目的を実現し（自己を開花・実現し）、精神を覚醒させるために］、そして人類のために積極的に貢献しなさい」という意味であり、これが最も望ましい人生の在り方である。

ちなみに、以下に、逆の最もしてはならない生き方についても触れる。最もしてはならない生き方および行動は、〝無限〟の在り様【己を思わず、報酬を求めず、ただひたすらにすべてのものの幸せを願い、ただひたすらにすべてのものを愛する[11]】と全く正反対の生き方、すなわち、利己主義に陥った生き方および行動である。その摂理に違反する典型的な行いが、〝故意につまずきを与えること〟および〝意識的に（故意に）嘘を吐くこと〟である。〝故意につまずきを与えること〟の罪の深さと怖さをイエスは、「つまずきを与えるこの世は、忌まわしいものです。つまずきが起こることは避けられないが、つまずきをもたらす者は忌まわしいものです。もし、あなたの手か足の1つがあなたをつまずかせるなら、それを切って捨てなさい。片手片足で命に入る方が、両手両足揃っていて永遠の火に投げ入れられるよりは、あなたにとって良いことです。また、もし、あなたの一方の目が、あなたをつまずかせるなら、それを抉り出して捨てなさい。片目で命に入る方が、両目揃っていて燃えるゲヘナ（〝燃えるゲヘナ〟は〝地獄〟と同義）に投げ入れられるよりは、あなたにとって良いことです（「マタイによる福音書」第18章7－9節）」と説いている【イエスがつまずきをもたらすものの例として挙げたのが、〝自分自身の手か足の1つ〟および〝自分自身の一方の目〟である。つまり、私達は同胞の番人ではないので、他人を非難する権利はない。この譬えからもイエスが〝宇宙の（絶対的）法則〟に精通していることが理解される】。同様に、マイトレーヤ・ラエル[1]も、特に人類の義に関わることにおいて〝故意に（意識的に）嘘を吐くこと〟、および義に生きる人間に対して〝故意に（意識的に）つまずきを与える〟と、「その一生は地獄となり、報いを思い知ることになります。天の報いということにも気づかぬまま、病気や家庭での、職場での、恋人との間での、そしてその他の心配事などが、永遠の罰を受ける前から、彼等の上に降りかかることでしょう」と伝えている。

⑸ すべてにおいて知識・理性・信念に基づいて判断・行動すること、特に学びにおいては〝理性〟に基づいて判断・実践する力を身に付けること

Ⅵの〝7無限および無限のエネルギーを理解することの困難さ〟で述べたように、世間の常識との乖離が与える恐怖はとても大きい、換言すると、世間の常識が人を拘束する力は非常に強い。ジョアン・アンダースン[86]は、「説明可能な事柄を、私達は〝自然現象〟と呼ぶ。だが、説明できないとなると途端に怯んでしまい、その現象に〝超常現象〟というラベルを貼ろうとする。だが、見えない力によって助けられたことがある人は、どれだけ多くいるだろう。……説明のつかない不思議な出会いによって生き続ける勇気と強さを与えられた人は、何人いるだろうか」と述べているように、五感（視覚・聴覚・嗅覚・味覚・触覚）による経験的実在を超えた、いわゆる第六感を通しての経験を信じる人は少なからず存在すると私は確信している。ところで、スピリチュアリズムには七つの綱領[16]【1．神の父性、2．人類の同胞性、3．霊の交信と天使の支配、4．人間の霊魂の存続、5．各自（各個）の責任、6．地上生活における善行と悪行に対する死後の応報、および、7．すべての霊魂に開かれている永遠の向上】があるが、このスピリチュアリズムにおける七つの綱領のうちの〝3．霊の交信と天使の支配〟および〝4．人間の霊魂の存続〟が実感を持ってある程度認識することができ、しかもさらなる

深化を図る気概がなければ、〝無限&無限のエネルギー〟、さらには〝宇宙の（絶対的）法則〟をより深く理解することはとても難しい。このことに関して、〝地上の数々の信仰が、ことごとく誤りの上に築かれている〟と明言しているシルバー・バーチ[(6)]は、以下のように説明している：「生命に死はなく、永遠なる生命力の一部であるが故に、不滅です。人間は不滅なのです。死は無いのです。あなたの愛する人は、あなたの側におられます（あなたが聞く耳を持たないために、聞こえないのです）。すぐ身の回りに雄大な生命の波が、打ち寄せているのです。愛しい人達は、そこに生き続けているのです。そして、その背後には幾重にも高く階層が広がり、測り知れない遠い過去に同じ地上で生活した人々が無数に存在し、その体験から得た叡智を役立てたいと望んでいるのです。……賢明なる人間は、魂の窓を開き、人生を生き甲斐あるものにするために勇気づけ指導してくれる莫大な霊の力を、認識することになります。ただし、それは、あなた方の理解力・心掛け1つにかかっています。これまで受け継いできた偏見に基づく概念のすべてを一先ず脇へ置いて、死後存続の問題と虚心坦懐に取り組んで真実のみを求めることです。他人が述べているからということで迷わされることなく、自分自らの判断で真理を求めることです。その際、もし教会がその邪魔になるのであれば、教会をお棄てになることです。もし邪魔する人間がいれば、その人間との縁を切ることです。もし聖典が障害となっているると気がつかれれば、その聖典を棄て去ることです。そうして、あなた一人の魂の静寂の中に、引き籠ることです。一切の世間的喧騒を、忘れ去ることです。そして、知識に目覚め、理解力を開くことです。無知の牢獄から脱け出て、霊的自由の光の中で生きることです」と自らの理性に基づいて判断し、結論を引き出すことの大切さを強調している。

7 宇宙の（絶対的）法則の重要性を理解できなかった時の人類の未来

「子が父に逆らい、母が娘と対立したら家庭は分裂し、その家は必ず滅びてしまうように、国が分裂したら必ず滅びてしまいます。それは、民族であろうが、世界であろうが同じです。それゆえに、一人ひとりが心の中から憎しみの感情を追い出さない限り、真の平和は訪れません[87]」。そして、この法則の真の意味は、機が熟して、〝無限&無限のエネルギー〟に調和することの大切さと、〝宇宙の（絶対的）法則〟を遵守することの重要さが実感できた時に判り、これらのことが理解できる人は、「人類は、今とても危機的な状況に直面している」ことを（直感的に）把握しているはずである。そこで、現在の非常に危機的な状況の結末を、〝宇宙の（絶対的）法則〟ととても密接に関連して警告している三つの言説を、以下に紹介する：

「今、地上人類に降りかからんとしている苦難があまりに恐ろしいもので……地上のあらゆる地点に橋頭堡を築かなければ、人類自らが人類を、そして地球そのものを破滅に陥れることになります。人類は物質文明を自負しますが、霊的には極めてお粗末です。願わくは、その物質文明の進歩に見合っただけの、霊性が発達することを祈ります。つまり、これまで〝物〟に向けられてきた人間的努力の進歩に匹敵するだけの進歩が、精神と霊性の分野にも向けられればと思います。進歩に霊性が伴わない今の状態では、使用する資格のないエネルギーによって自らを爆破してしまう危険があります[11]」、「問題は、科学の平和利用がもたらす楽園を取るか、それとも、……自然に服従する原始時代へ逆戻りをするという、地獄を取るかの選択です。これは、自分たちの惑星から脱出できるようになる人類が、宇宙レベルで決断する、必然の選択なのです。すなわち、自分たちの攻撃性を完全に抑えることのできる者だけが、自分たちの惑星から脱出できる（宇宙レベルの）段階に達することができるのです。そうでない人々は、自分たちの科学技術が発達して、人類を破壊し尽くすだけの十分な武器が発明できれば、直ちに自己破壊への道を辿ることになるでしょう。……宇宙には、『自分たちの惑星系から脱出できるほどの人々は、例外なく平和を好む』という絶対的な法則があります[1]」、そして最後が、暗殺された日の1968年4月4日にテネシー州メンフィスでなされたキング牧師[42]による演説で、「人は、兄弟姉妹として共に生きていく術を学ばなければならない。さもなければ、私達は愚か者として滅びるであろう」である。

ところで、人類が現在直面している前述の重大な危機は、〝核の脅威〟と呼ばれるが、核が脅威の真の原因ではない。そのことをミシェル・デマルケ[43]は、次のように伝えている：「核兵器は地球人の心に恐怖を抱かせ、あなた方の頭上に振りかざされた〝ダモクレスの剣（身に迫る危険の譬え）〟であることは認めます。しかしながら、それは、本当の危険ではありません。

地球における本当の危険は、最も重要なものから言うと、第一に〝お金［物質（万能）主義］〟、第二に〝政治家〟、第三に〝ジャーナリストと麻薬〟、第四に〝宗教〟です。これらの危険は、核兵器とは無関係です。本当の危険は、現世の人々の生き方（、すなわち、意識）にあるのです。地球においては、お金が諸悪の根源です」である。つまり、今紹介した言説は、以下のことを意味している：核兵器が人を殺すのではなく、利己主義と物質主義にまみれた既得の特権を有する人々が自らの権益を守るために、既得権益を持たない人々を利用して人を殺すのである。より正確に言うと、利益（お金などの物質）によって精神が麻痺した人々である資本家と、巨大な資本家に利用されているとても知性の不足している政治家が、敵国から〝国を守る〟というとても暴力的なスローガンの下に、つまり、精神を病んでいる人ととても知性の不足している人々が、自国民を自らの覇権争いに巻き込んで、大量破壊兵器である核兵器（武器）を用いて大量殺戮を行うのである。

おわりに

2018年の7月6日と26日に、オウム真理教の教祖麻原彰晃を始めとする13名の死刑囚の死刑が執行された。その死刑執行に伴ってテレビや新聞など、多くのマスコミが、オウム真理教とは何だったのか、なぜあのような事件（すなわち、坂本弁護士一家殺害事件、滝本弁護士サリン襲撃事件、松本サリン事件、小銃製造事件、仮谷さん監禁致死事件、地下鉄サリン事件など）を起こしたのか、今後あのような集団や事件が起こらないようにするためにはどうすれば良いのかなどを総括しようとした。残念なことに、明確な答えは得られなかった（得られていない）と私には映った。しかしながら、現在私が理解している〝宇宙の（絶対的）法則（特に、原因と結果の法則）〟に基づいて、オウム真理教を捉えた場合、彼等が起こした出来事は起こるべくして起こった事件であることが判る。つまり、オウム真理教の考え方および知性があまりにも稚拙（幼稚）であったため、より正確には、自分達（彼等）の考え方が次に挙げるいくつもの〝宇宙の（絶対的）法則（摂理）〟を故意に犯していることに気が付くことができなかったために、オウム真理教は、先に挙げたような信じられない犯罪を繰り返す組織（宗教団体）へと変貌していったのである：①自らの在り方を変えるのではなく、社会を変えようとしたこと、②〝善悪〟という二元論に基づいて、すなわち知性が決して高いとは言えない物事の捉え方を土台として自分達や社会を判断したこと、③サイキック（心霊的）能力を過度に価値づけるという知性の低い考え方の誤りに気が付くことができなかったこと、④死刑制度を現在も維持している知性が未熟な国家と同じレベルの考え方、すなわち懲罰ではなく、報復という考え方が知性の未熟さを示す考え方であることに気が付くことができなかったこと、⑤「上に立つ者は、仕える人でなければならない（「マタイによる福音書」第23章11節）」ということを理解できなかったこと（ここで言う〝仕える〟とは…「〝無限&無限のエネルギー〟の在り様に基づいて、ひたすらに人生における真の幸せに導くための援助をする」という意味である）［したがって、このことは、上の人間の目的を実現させるために下の人間が仕えているのではなく、下の人間の人生の目的を実現する（自己を開花・実現する）ために上の人間が存在していることを意味しており、そのことを理解できなかったこと］、⑥宗教および哲学の基本は、〝無限（&無限のエネルギー）〟と調和することにあることが理解できなかったこと、そして、最大の過ちは、⑦〝裁いてはいけません（。裁かれないためです。あなた方が裁く通りに、あなた方も裁かれ、あなた方が量る通りに、あなた方も量られるからです【「マタイによる福音書」第7章1・2節】。）〟という〝宇宙の（絶対的）法則（摂理）〟を蔑ろにしたことなどが大きな要因としてあげられる。これらのことを、〝宇宙の（絶対的）法則（摂理）〟を添えてより詳細に説明すると‥

①【〝宇宙の（絶対的）法則（摂理）〟：私達には他人を変える権利はなく、自分で自分を変えることしか許されていない（私達は同胞の番人ではない）】

私達は他人や周りの環境を変えることに対してはとても積極的であるが、自分自身を変えることに対してはひどく消極的である。社会を変える基本は、〝宇宙の（絶対的）法則〟にあるように、つまり、より判りやすく言うと、マハトマ・ガンジー[85]が教えるように、「世界に変化を望むのであれば、自らが変化とならなければならない」である。その最も望ましく社会を変化させるための在り方は、〝己を愛するが如く、隣人を愛せよ（「マタイによる福音書」第22章39節）（さらには、己を愛する以上に、汝の隣人を愛せよ）〟という形で、自分の最も身近な人（々）から変えていくことである。すなわち、「社会を変えるのではなく、先ず自らの人生の目的を実現する（自己を開花し実現する）ことによって自分自身を変える、そして次に隣人の人生の目的を実現させていく（自己を開花・実現させていく）」という形式で、最も身近な人々から変えていき、その輪を徐々に拡大していく時、社会が〝宇宙の（絶対的）法則〟に適合した望ましい形で変革するのである。

②【〝宇宙の（絶対的）法則（摂理）〟：すべての人が皆等しく無限の一部である（すべての人は皆兄弟である）】

ヘーゲル[59]は、世界の歴史について、「世界の歴史は、〝世界精神〟、または〝世界理性〟が、自らの本質を自覚し実現するプロセスに他ならない。換言すると、精神や理性は究極においては神【＝〝絶対精神〟＝〝（無限）精神〟】に等しいから、世界の歴史は神意、または摂理の実現過程である（また、精神の本質は自由であるから、世界の歴史は自由が自覚され実現されるプロセス、すなわち、〝自由の意識の進歩〟でもある）」と述べている。このヘーゲル[59]が述べるところの神意・摂理の実現過程で、すなわち、すべての人々が平和で幸福に、かつ自由に暮らしている社会・世界を構築する時に、図られなければならない重大な思考の転換の一つが、善（や価値観）は人によって異なる（より正確には、人それぞれの知識と知性のレベルに応じて、善し悪しの判断の基準が異なる）ことを理解し受容することである。換言すると、相手の自由と平穏を尊重できるようになるためにとても大きな寛容さ（寛容力）を身に付けなければならないということである。

③【〝宇宙の（絶対的）法則（摂理）〟：純粋な自我領域における生に到達する時には、サイキック（心霊的）能力は捨てなければならない】

VIの〝5**無限との調和**〟の最初のところで触れたように、行法により解脱を目指すヨーガは、〝チャクラの効果的な刺激〟、〝呼吸法〟や〝瞑想〟、さらに、〝食事の量と質〟などを組み合わせた、宇宙（〝無限〟）とのより緊密な調和を求める素晴らしい実践である。しかしながら、ヨーガでは、神秘体験、あるいは超越体験の意義が正確に理解されていない。そのために、過度に神秘体験を価値づけ、神秘（超越）体験を求める人がとても多い。このことに関して、ヘルマン・ベック[88]は『インドの叡智とキリスト教』という書籍の中で、「ヨーガの修行の途上で得られる能力は修行の目的ではなく、ヨーガの本来の目的である純粋な自我領域［＝〝無限のエネルギー〟の在り様］における生に到達する時には、それらの能力は捨てなければならない。この純粋に精神的な目的に比べると、心霊的な能力、魔術的な能力は低級なものである」と、様々な魔術的なことを価値づけ、過度に求めることの不適切さを教えている。もしそのようなサイキック能力（心霊的能力）に過度に固執し、その能力を誇示・行使したならば、いずれ知的にも道徳的にも堕落し、やがては自らが自らを滅ぼすことになる。

④【〝宇宙の（絶対的）法則（摂理）〟：国家による合法的殺人である死刑制度は許されない】

社会の知性の未熟さを示す証しの一つである死刑制度は、個人が人を殺せば重大な犯罪であり、国家が人を殺すのは正当であるとする、不合理極まりない制度である[89]。死刑制度は、明らかに、国家による合法的殺人であり、したがって、組織化された方法で冷酷に人を殺す権利は許されない。さらに、死刑制度を続けることは、社会全体の責任である。なぜなら、死刑では問題の解決にならないことを、社会全体が悟る段階にまで達していないことを意味しているからである[89]。

⑤【〝宇宙の（絶対的）法則（摂理）〟：上に立つ者は、知性のレベルの高い人でなければならない】

私達は、一般に、社会で起こる不正や犯罪に対して、その行為を行った人間や企業の非（間違い）を明らかにし、反省を促すことによって、さらには、その過ちを罰することによって、彼等を正し、社会から不正や犯罪を無くそうと考えている。そして、そのための主要な方策の一つとして、適切なリーダー（指導力や責任感などに対して強力なリーダーシップを発揮できる人間）が求められている。特に、企業や政治の場合がそうである。しかしながら、その社会から不正や犯罪を無くそうとする過程において、相手を非難し攻撃するという度を越えた行為が往々にして認められる。敵対することと同様に、相手を非難し、攻撃することは、平和を滅ぼす元である。利己主義と物質（万能）主義こそが真の敵であり、すべての争い事と悲しみを生み出す元凶である(9)。したがって、すべての人が平和で幸福に、かつ自由に暮らしている社会を構築するために必要な指導者および政治家は、通常求められているようなリーダーではなく、豊富な知識と優れた知性を有し、先を見通す力のある、己以上に隣人を愛することができる（延いてはそのことを通して社会に仕える）、自己を開花・実現させることを最優先する自らも自己を開花し実現させた指導者であり、教育者でなければならない。

⑥【〝宇宙の（絶対的）法則（摂理）〟：宗教および哲学の基本は、〝無限&無限のエネルギー〟の本質（実体）を理解することにある】

〝宇宙の（絶対的）法則〟は、〝無限&無限のエネルギー〟の在り様を土台として構築されているため、〝宇宙の（絶対的）法則〟をより深く理解するためには、〝無限&無限のエネルギー〟の在り様を把握していることが必須の要件である。そのことを理解する手立ての一つが哲学であり、あるいは宗教である。したがって、哲学や宗教の分野では、〝無限&無限のエネルギー〟に対しては、VIの〝[2]無限の呼称〟で示したように、様々な名称で呼ばれ説明がなされてきた。したがって、哲学や宗教、特に宗教の本質は、〝無限&無限のエネルギー〟を理解し、それとより緊密に（できれば、完全に）調和するための知識と実践を学び、病める人、悲しむ人、悩める人、希望を失った人や寄る辺のない人などを助け、さらに叡智を授けることにある。アルベルト・シュバイツァー(85)などが、「人のために尽くすこと（福祉・奉仕）に勝る宗教はない」と述べる所以である。

⑦【〝宇宙の（絶対的）法則（摂理）〟：〝裁いてはいけません「。裁かれないためです。あなた方が裁く通りに、あなた方も裁かれ、あなた方が量る通りに、あなた方も量られるからです（「マタイによる福音書」第7章1・2節）」〟】

〝「マタイによる福音書」第7章1・2節〟の「裁いてはいけません。裁かれないためです。あなた方が裁く通りに、あなた方も裁かれ、あなた方が量る通りに、あなた方も量られるからです」という〝摂理（法則）〟は、〝宇宙の（絶対的）法則〟が、〝無限&無限のエネルギー〟の在り様を土台として成り立っていることの証しとなる、とても重要な摂理・法則の一つである。VIIの〝[1]**宇宙の（絶対的）法則の特徴と理解することの困難さ**〟で述べたように、〝宇宙の（絶対的）法則〟は、〝無限&無限のエネルギー〟を理解、意識し、〝無限&無限のエネルギー〟と調和することを志さない限り理解できないようにつくられている。すなわち、「法則は完全です。しかし、あなたは不完全であり、したがって……あなたが完全へ近づけば近づくほど、完全な法則がより多くあなたを通して顕現することになります[47]」である。したがって、この〝宇宙の（絶対的）法則（摂理）〟に関しては、ほとんどすべての人達が故意に摂理違反を犯している（意識的に無視している）と考えられるほどに、全くと言ってよいほど理解、さらに意識されていない摂理（法則）である。それゆえに、「裁いてはいけません。裁かれないためです。あなた方が裁く通りに、あなた方も裁かれ、あなた方が量る通りに、あなた方も量られるからです」という摂理は、心［本心（心の奥の思い）］から人の幸せを願うことができない、すなわち、利己的な（自己中心的な）思いが憎しみをもたらしていることを気が付かせてくれる（〝原因と結果の法則〟が働いていることを如実に実感させてくれる）、とても重要な法則である。換言すると、意識が自分の人生を形づくっていることを教えてくれる（引き寄せの法則の作用の仕方を理解させてくれる）とても貴重な法則であると言える。

などが挙げられる。逆に、それらのことを無くしていけば、すなわち、

①社会、あるいは他人を変えようとするのではなく、自らの在り方を望ましい方向に変えていく

②人によって善し悪しの基準や価値観は異なる、より正確には、人それぞれの知識と知性のレベルに応じて、それらの判断基準が異なることを理解し受容するとともに、他人の

自由と平穏を尊重するようになるための寛容さを身に付ける

③サイキック（心霊的）能力を過度に価値づけることが知性の低い考え方であることに気が付き、テレパシー能力以外のサイキック能力を必要以上に求めない

④死刑制度が、懲罰ではなく報復という知性の未熟さを示す、一つの証しであることに気付くことによって死刑制度を無くしていく

⑤上に立つ人間にとって最も重要なことは、下に位置する人間の人生の目的を実現する（自己を開花し実現する）ことであり、そのために上の人間が存在していることを認識、そして意識・実践する

⑥宗教および哲学の真の究極の目的は、〝無限&無限のエネルギー〟と完全に調和することであることを理解する

⑦あなたが裁く通りにあなたは裁かれ、あなたが量る通りにあなたは量られるので、裁かない、そして量らない（常に隣人および他人の幸せだけを願い、隣人や他人の不幸は願わない）

を実行していけば、オウム真理教が起こしたような事件が起こらなくなるばかりでなく、迅速に社会から犯罪が無くなっていく。さらに、そのことを通して、すべての人が平和で幸福に、かつ自由に暮らしている世界を構築するための方策が理解できるようになる。

そこで、そのことを期待して、Ⅶの③で述べた〝**基本的法則（摂理）**〟および〝**はじめに**〟で紹介したシルバー・バーチ[6]によるとても判りやすい〝宇宙の（絶対的）法則〟を遵守することとの重要性、さらに〝宇宙の（絶対的）法則〟を知らないことの怖さと伝道することの重大性についての言説二つを再度繰り返す：「人生には、個人としての生活、家族としての生活、国民としての生活、世界の一員としての生活があり、人はそれぞれの生活において摂理に順応したり、逆らったりしながら生きています。摂理に逆らえば、暗黒と病気と困難と混乱と破産と悲劇と流血が生じます。一方、摂理に順応した生活を送れば、叡智と知識と理解力と真実と正義と公正と平和がもたらされます。そして、摂理に適った生き方をしている人、黄金律［隣人を愛すべし（自分が人からしてもらいたいと思う通りを、人にもしてあげなさい）］を生活の規範として生きている人は、大自然から、そして宇宙から、良い報いを受けます」および「地上人類に混乱と挫折と悲劇と破滅と流血が絶えないのは、自ら真理に対して目を閉じたがる者が多く、また既得の特権を死守せんとする者が多いからです。すべての戦争は、人間が摂理に背いた生き方をすることから生じます。一個の人間、一つの団体、一つの国家が誤った思想から、貪欲から、あるいは権勢欲から、支配欲から、神の摂理を無視した行為に出ることから生じるのです。直接の原因が何であれ、すべては宇宙の霊的法則についての無知に帰着します。すべてのものが霊的知識を備えた世界に、独裁的支配はありません。すべての者が霊的知識を具えた世界に、流血はありません。……霊的知識を広めることです。真実の意味での伝道者、すなわち、霊的真理および霊的知識の伝道者となることです」である。

ところで、私達が、その〝宇宙の（絶対的）法則〟という真理・真実の伝道者となるためには、とても高度の知識を豊富に有する非常に知性の優れたスピリット（知性の非常に優れたスピリット）からの援助が不可欠である。そして、知性の非常に優れたスピリットがその援助を授ける際、以下の生き方をしている、あるいは特質を有する人間が最も扱い難いとインペレーター(78)は教えている。したがって、私達は、

①知性の非常に優れたスピリットが最も当惑するのは、思想を伝えるのに多大の困難を感ずる、神学上の先入的偏見に充塞された頭脳
②自分自身の媒体を通じてのみ事物を観察し、そして自分自身の条件によってのみ事物を評価しようとする、すなわち、求める所が真理そのものではない似非科学者
③無学の者
④持て余すのは、徒に伝統の儀礼法式に拘泥し、固陋尊大、何ら精神的な新事実に興味を感ずることを知らない人達
⑤全く以て度し難いのは、盲信の徒

が最も扱い難いことを肝に銘ずるとともに、知性の非常に優れたスピリットが私達人類に

強く求めているのは、〝理性〟であることも常に念頭に置いている必要がある。そして、その理性を発揮させる最良の生き方が、ブルー・プリントに則っている〝人生の目的を実現する〟ことであるので、常に自己を開花し実現することに専念していることが望まれる。

引用文献（参考文献）

（1）マイトレーヤ・ラエル（2014）．『地球人は科学的に創造された――創造者からのメッセージ』日本ラエリアン・ムーブメント日訳監修　無限堂．
（2）バーバネル，S．（2009）．『シルバー・バーチの霊訓（Ⅱ）』近藤千雄訳　潮文社．
（3）グラウト，P．（2014）．『こうして、思考は現実になる』桜田直美訳　サンマーク出版．
（4）モーゼス，W．S．（2008）．『インペレーターの霊訓―続「霊訓」―』近藤千雄訳　潮文社．
（5）ネイラー，W．（2009）．『シルバー・バーチの霊訓（Ⅳ）』近藤千雄訳　潮文社．
（6）ホームサークル，H．S．（2008）．『シルバー・バーチの霊訓（Ⅲ）』近藤千雄訳　潮文社．
（7）アレン，J．（2003）．『「原因」と「結果」の法則』坂本貢一訳　サンマーク出版．
（8）フルフォード，R．C．&ストーン，G．（1997）．『いのちの輝き　フルフォード博士が語る自然治癒力』上野圭一訳　翔泳社．
（9）アレン，J．（2015）．『「起こること」にはすべて意味がある』「引き寄せの法則」研究会訳　三笠書房．
（10）チョプラ，D．（2007）．『富と宇宙と心の法則』住友進訳　サンマーク出版．

(11) ドゥーリー，A．（2008）．『シルバー・バーチの霊訓（Ⅰ）』近藤千雄訳　潮文社．
(12) 原田真裕美（2010）．『自分のまわりにいいことがいっぱい起こる本――「幸運」は偶然ではありません！』青春出版社．
(13) 窪田千紘（2011）．『思いどおりの人生に変わる27の方法』PHP研究所．
(14) 木村藤子（2015）．『魂のシナリオどおりに生きていますか？』学研パブリッシング．
(15) アドリエンヌ，C．（2005）．『人生の意味』住友進訳　主婦の友社．
(16) オーツセン，T．（2009）．『シルバー・バーチの霊訓（Ⅷ）』近藤千雄訳　潮文社．
(17) 長谷川伸三（1982）．「二宮尊徳」『世界伝記大事典〈日本・朝鮮・中国編〉』ほるぷ出版．
(18) Mckie, D.（1998）．「キュリー夫人」越山季一訳．『ブリタニカ国際大百科事典』ティビーエス・ブリタニカ．
(19) 朝日新聞社（2001）．『100人の20世紀（下）』朝日新聞社．
(20) 「マリー・キュリー」フリー百科事典「ウィキペディア（Wikipedia）」．
(21) 浅見宗平（1996）．『自由宗教えの道　不思議な記録（第12巻）』星雲社．
(22) 金子務（1998）．「アインシュタイン」『ブリタニカ国際大百科事典』ティビーエス・ブリタニカ．
(23) 朝日新聞社（2001）．『100人の20世紀（上）』朝日新聞社．
(24) 「アルベルト・アインシュタイン」フリー百科事典「ウィキペディア（Wikipedia）」．
(25) 河部利夫・保坂栄一（1993）．「ダーウィン」『新版　世界人名辞典　西洋編〈増補版〉』

東京堂出版.
（26）Sir Gavin de Beer.（１９９８）.「ダーウィン」江上生子訳.『ブリタニカ国際大百科事典』ティビーエス・ブリタニカ.
（27）「チャールズ・ダーウィン」フリー百科事典「ウィキペディア（Wikipedia）」.
（28）深川泰男（１９７２）.「メンデル」『世界大百科事典』平凡社.
（29）田中義麿（１９７６）.『基礎遺伝学　改訂版』裳華房.
（30）河部利夫・保坂栄一（１９９３）.「メンデル」『新版　世界人名辞典　西洋編〈増補版〉』東京堂出版.
（31）Dunn, L. C. & Ramsbottom, J.（１９９８）.「メンデル」新関滋也訳.『ブリタニカ国際大百科事典』ティビーエス・ブリタニカ.
（32）筑波常治（１９８２）.「野口英世」『世界伝記大事典〈日本・朝鮮・中国編〉』ほるぷ出版.
（33）福岡伸一（２００７）.『生物と無生物のあいだ』講談社.
（34）「エイブラハム・リンカーン」フリー百科事典「ウィキペディア（Wikipedia）」.
（35）「トーマス・エジソン」フリー百科事典「ウィキペディア（Wikipedia）」.
（36）リーバ，P.（２０１１）.『シルバー・バーチの霊訓（X）』近藤千雄訳　潮文社.
（37）ジョージ，S.（２０１１）.『これは誰の危機か、未来は誰のものか――なぜ1％にも満たない富裕層が世界を支配するのか』荒井雅子訳　岩波書店.
（38）加藤幸夫（２００７）.『心の教育の本質を学ぶ―人間のこれからの生き方を求めて―』山

崎英則・加藤幸夫共編　学術図書出版社．
(39) 島田虔次（1998）．朱子学．『ブリタニカ国際大百科事典』ティビーエス・ブリタニカ．
(40) 岩井弘融（1976）．『社会学原論』弘文堂．
(41) 秋山佳胤・森美智代・山田鷹夫（2015）．『食べない人たち　ビヨンド――不食実践家3人の「その後」』マキノ出版．
(42)「マーティン・ルーサー・キング・ジュニア」フリー百科事典「ウィキペディア（Wikipedia）」．
(43) デマルケ，M．（1997）．『超巨大［宇宙文明］の真相』ケイ・ミズモリ訳　徳間書店．
(44) ストーム，S．（2010）．『シルバー・バーチの霊訓（Ⅸ）』近藤千雄訳　潮文社．
(45)『朝日新聞』（2016年12月26日付）．
(46)『朝日新聞』（2018年4月18日付）．
(47) オースティン，A．W．（2009）．『シルバー・バーチの霊訓（Ⅴ）』近藤千雄訳　潮文社．
(48) 廣川洋一（1988）．「タレスThales」『世界大百科事典』平凡社．
(49) 斎藤忍随（1988）．「ヘラクレイトスHērakleitos」『世界大百科事典』平凡社．
(50) 斎藤忍随（1988）．「エンペドクレスEmpedoklēs」『世界大百科事典』平凡社．
(51) Lloyd, A. C.（1998）．「パルメニデス」井上忠訳『ブリタニカ国際大百科事典』ティビーエス・ブリタニカ．
(52) 藤沢令夫（1998）．「プラトン」『ブリタニカ国際大百科事典』ティビーエス・ブリタニカ．
(53) Kerferd, G. B. &Van Steenberghen, F.（1998）．「アリストテレス」細井雄介訳．『ブリタニカ

国際大百科事典』ティビーエス・ブリタニカ．
(54) Armstrong, A. H.（1998）．「プロチノス」岩田靖夫訳．『ブリタニカ国際大百科事典』ティビーエス・ブリタニカ．
(55) 稲垣良典（1998）．「トマス・アクィナス」『ブリタニカ国際大百科事典』ティビーエス・ブリタニカ．
(56) Kneale, M.（1998）．「スピノザ」斉藤博訳．『ブリタニカ国際大百科事典』ティビーエス・ブリタニカ．
(57) 清水富雄（1998）．「ライプニッツ」『ブリタニカ国際大百科事典』ティビーエス・ブリタニカ．
(58) 福谷茂（2008）．「カント」『哲学の歴史　7．理性の劇場』加藤尚武責任編集　中央公論新社．
(59) Knox, T. M.（1998）．「ヘーゲル」中埜肇訳．『ブリタニカ国際大百科事典』ティビーエス・ブリタニカ．
(60) 相川圭子（2018）．『ヤマ・ニヤマ　ヒマラヤ聖者が説くスーパーマインドになる10の教え』河出書房新社．
(61) 水野弘元（1992）．『仏教要語の基礎知識』春秋社．
(62) 大谷暢順（2015）．『人間は死んでも　また生き続ける』幻冬舎．
(63) 宮元啓一（1988）．バラモン教．『世界大百科事典』平凡社．

(64) Basham, A. L.（1998）．ヒンドゥー教．奈良康明訳．『ブリタニカ国際大百科事典』ティビーエス・ブリタニカ．
(65) 本田済（1998）．陰陽五行説．『ブリタニカ国際大百科事典』ティビーエス・ブリタニカ．
(66) 永沢哲（2008）．『野生の哲学 野口晴哉の生命宇宙』筑摩書房．
(67) K（2014）．『読むだけで「見えない世界」とつながる本』サンマーク出版．
(68) 長尾雅人（1988）．出家の功徳（沙門果経）．『世界の名著1 バラモン教典 原始仏典』長尾雅人責任編集 中央公論社．
(69) 秋山佳胤・森美智代・山田鷹夫（2014）．『食べない人たち』マキノ出版．
(70) 稲葉耶季（2015）．『食べない、死なない、争わない 人生はすべて思いどおり——伝説の元裁判官の生きる知恵』マキノ出版．
(71) 地橋秀雄（2008）．『ブッダの瞑想法 ヴィパッサナー瞑想の理論と実践』春秋社．
(72) 船瀬俊介（2014）．『3日食べなきゃ、7割治る！ 病院で殺される前に』三五館．
(73) 神岡建（2015）．『魂のすごい力の引き出し方』KKロングセラーズ．
(74) 樋口雄三（2012）．『これに気づけば病気は治る——高次元医療の提唱——』ナチュラルスピリット．
(75) ドゥ・スメト，M．（1996）．『コレクション〈知慧の手帖〉12 ブッダの言葉』中沢新一・小幡一雄訳 紀伊國屋書店．
(76) 桜井識子（2015）．『「神様アンテナ」を磨く方法 誰もが感じているのに気づいていない幸運のサイン』ＫＡＤＯＫＡＷＡ．
（77）松原照子（２０１７）．『「あの世」の先輩方が教えてくれたこと』東邦出版．
（78）モーゼス，Ｗ．Ｓ．（１９５１）．『霊訓』浅野和三郎訳　潮文社．
（79）Heath, T. L. & Lloyd, A. C.（１９９８）．「ピタゴラス」有田潤訳．『ブリタニカ国際大百科事典』ティビーエス・ブリタニカ．
（80）Taylor, A. E.（１９９８）．「ソクラテス」松永雄二訳．『ブリタニカ国際大百科事典』ティビーエス・ブリタニカ．
（81）Woodham-Smith, C. et al.（１９９８）．「ナイチンゲール」酒井シヅ訳．『ブリタニカ国際大百科事典』ティビーエス・ブリタニカ．
（82）新戸雅章（２０１５）．『知られざる天才　ニコラ・テスラ　エジソンが恐れた発明家』平凡社．
（83）「アウレリウス・アウグスティヌス」フリー百科事典「ウィキペディア（Wikipedia）」．
（84）近藤千雄（２０１０）．『シルバー・バーチの霊訓（Ⅻ）─煌く名言を集めて─』潮文社．
（85）シャーマ，Ｒ．（２００６）．『３週間続ければ一生が変わる　あなたを変える１０１の英知』北澤和彦訳　海竜社．
（86）アンダースン，Ｊ．Ｗ．（１９９６）．『天使の奇跡──本当にあった37の出会い』池田真紀子訳　祥伝社．
（87）カミンズ，Ｇ．（２００７）．『霊界通信　イエスの成年時代─神と人間のはざまで─』山本

貞彰訳　潮文社．
(88) ベック，H．（1992）．『インドの叡智とキリスト教』西川隆範訳　平河出版．
(89) フィリップス，S．（2010）．『シルバー・バーチの霊訓（Ⅵ）』近藤千雄訳　潮文社．
(90)「アブラハム・マズロー」フリー百科事典「ウィキペディア（Wikipedia）」．

あとがき

「世界に生きるすべての人達が平和で幸福に暮らしている社会、さらに世界（地球）を構築する」ために、世界中でとても多くの人達が頑張っておられる。

でも、私達は間違えている、私達人類はとても大きな根本的な間違いを犯している。私達の周りには偽預言者と偽キリストが溢れ、私達はそれらの人達に洗脳され、動かされている。私達が従うべきは〝宇宙の（絶対的）法則〟であり、そして、崇めるべきは〝無限&無限のエネルギー〟である。そのことに気が付かなければあなたの人生、すなわち、あなたがこの世に生まれてきた意味がなくなってしまう。このことに関して、シルバー・バーチ(6)は、「あなた方が霊的真理についての知識を手にしたということは、人類が抱えるすべての問題を解くカギを手にしたことを意味します。ただし、私は決して世に言う社会改革者たち、つまり、義憤に駆られ、抑圧された者や弱き者へのやむにやまれぬ同情心から悪と対抗し、不正と闘い、物的な神の恵みが全ての人間に平等に分け与えられるようにと努力している人々を、蔑ろにするつもりは毛頭ありません。ただ、その人達は問題の一部しか見ていない、すなわち、物的な面での平等のために闘っているに過ぎないということです。勿論、精神的にも平等であるべきことも、理解しておられるでしょう。が、人間は何よりもまず、〝霊〟なのです。大霊の一部なのです。

宇宙の大霊の一部として、常に無限の霊性に寄与しているのです。……人間の霊は、人間が呼吸している空気と同じように自由であるのが、本来の在るべき姿なのです。それが生来の、神から授かった、霊的遺産なのです」と教えている。

そのために、とても高度の知識を豊富に有する非常に知性の優れたスピリット（知性の非常に優れたスピリット）が、私達人類の未来のために私達に求めるのが、真の自由の上に成り立っている〝理性〟である。そして、その真の自由の上に成り立つ理性を発揮させるようにする最良の生き方（の入り口）が、最初のとても重要な理に適った〝人生の目的を実現する（自己を開花・実現する）〟ことに専念することである［その意味で、最初のとても重要な理に適った〝人生の目的を実現する（自己を開花・実現する）〟まで、本当の意味での自由はないと言える］。しかしながら、理に適った人生の目的を実現することは、アブラハム・マズロー[90]が明らかにしているように、決して簡単なことではない。なぜ、理に適った人生の目的を実現する［自己を（開花・）実現する］ことがとても困難であるのか、その理由は、次の摂理による：「時に〝悲しみの惑星[43]〟とも呼ばれる、私達が暮らす地球は、かなり特別な種類の習得環境となっている。その訳は、『流血の悲劇を何度繰り返してもなお懲りない為政者が牛耳る地上では、それが生み出す苦難や悲哀の中で摂理を学ぶしか方法がありません。本当は愛と互助の精神を発揮する行為の中で学んで欲しいのですが、それができない以上、摂理に逆らったことをして痛い思いをするほかはありません。地上で〝偉い人〟が、必ずしも霊界でも偉いとは限りません。こちらでは魂の偉大さ、霊性の高さ、奉仕的精神の強さが重んじられます』」とシルバー・バーチ[84]が述べるように、〝宇宙の（絶対的）法則〟（およびその土台を成す〝無限&無限のエネルギー〟）に対する無知に帰着する、より正確には、無知に帰着する生き方と意識を改めるための真の方法・手段を理解しようとしないことに由来する。

その意味において、決して簡単ではない最初のとても重要な理に適った〝人生の目的を実現する（自己を開花・実現する）〟ために、〝人生の目的とは〟、〝人生の基本〟や〝最も望ましい人生の在り方〟、さらに〝祈りの在り方と祈りの効用〟について理解しておくことは、とても大切なことである。Ⅵの〝**5無限との調和**〟における(2)の〝**(ii) 祈り**〟で取り上げたように、シルバー・バーチ[6]は、「肉体に宿るが故の宿命的な障壁を克服して、本来の自我を見いだしたいと望む魂の祈りは、必ず叶えられます［つまり、（ブループリントに則って）人生の目的を実現したい、あるいは自己を開花・実現したいという心の奥底からの思い・祈りは、叶えられる］。……一方、人のためにという動機、自己の責任と義務を自覚した時に湧き出るもの以外の祈りは、すべて無視されます」と教えている。これも〝宇宙の（絶対的）法則〟の一つであり、最初のとても重要な理に適った〝人生の目的を実現する（自己を開花・実現する）〟ことによって、より多くの〝宇宙の（絶対的）法則〟を把握するために是非とも活用すべきである。なぜなら、人生において〝無限&無限のエネルギー〟の在り様を土台として構築されている〝宇宙の（絶対的）法則〟を遵守して生きていくことほど、重要なことはないからである。

それゆえに、〝人生の目的を実現する（自己を開花し実現する）〟という気概を、知性の非常に優れたスピリットからの援助を授かるための資格を得る形で、具現することが切望される。そうすれば、知性の非常に優れたスピリットは、Ⅵの〝⑥**無限と調和することの重要性**〟の〝**人格の完成を目指す**〟で述べたように、私達の想像を超えた援助を授けてくれる。さらに、その後、愛を最重要視するために、〝無限&無限のエネルギー〟および〝宇宙の（絶対的）法則〟について勉強し、理解することが望まれる。なぜなら、私達の想像をはるかに超えた深い愛を有する知性の非常に優れたスピリットは、私達の真の精神性を高める努力を期待し、私達を直接援助する機会が得られることを待ち望んでいるからである。さらに、そのことを通して彼等（私達の想像をはるかに超えた深い愛を有する知性の非常に優れたスピリット）が導きたいと望んでいるのが、〝宇宙の（絶対的）法則〟を遵守した時に得られる私達人類の真の幸せと繁栄であるからである。

藤永　克昭（ふじなが　かつあき）

1953年生まれ。1982年北海道大学大学院水産学研究科を単位修得退学。1977年から2004年にかけては、“ヒメエゾボラ（大型の海産腹足類）の生活史に関する生態学的研究”および“北海道におけるツブ類（大型海産腹足類の総称）の増殖に関する研究”に従事する【科学に関する研究】。学位取得［博士（水産学）］後間もなく（2004年以降）研究領域を、道徳、宗教学や哲学などの分野に移行し、特に2006年からは“人格の完成を目指す”を軸として研究を進める【知性に関する研究】。なお、現在は“宇宙の（絶対的）法則”についてより体系的に、かつより判りやすくまとめることに精力を注いでいる。

“宇宙の（絶対的）法則” に基づいて人格の完成を目指すことが世界に平和をもたらす

2020年11月28日　初版第 1 刷発行

著　　者　藤永克昭
発 行 者　中田典昭
発 行 所　東京図書出版
発行発売　株式会社 リフレ出版
〒113-0021　東京都文京区本駒込 3-10-4
電話（03)3823-9171　FAX 0120-41-8080
印　　刷　株式会社 ブレイン

ISBN978-4-86641-355-6 C0010
Printed in Japan 2020